O MELHOR CONSELHO SOBRE INVESTIMENTOS QUE EU JÁ RECEBI

O MELHOR CONSELHO SOBRE INVESTIMENTOS QUE EU JÁ RECEBI

Liz Claman

Tradução
Cristina Yamagami

LAROUSSE

Título original: *The best investment advice I ever received*

Edição original publicada por Warner Books, Nova York, NY, EUA.
Todos os direitos reservados.

Copyright © 2006 by Liz Claman
Prefácio copyright © 2006 by Paul O'Neill
Copyright © 2007 by Larousse do Brasil

DIREÇÃO EDITORIAL Soraia Luana Reis
EDITOR ASSISTENTE Isney Savoy
ASSISTÊNCIA EDITORIAL Leila Toriyama
COORDENAÇÃO EDITORIAL Miró Editorial
REPORTAGEM Silvana Assumpção e André Viana
PREPARAÇÃO Cid Camargo
REVISÃO Eliel Cunha e Célia Regina R. de Lima
PROJETO GRÁFICO E DIAGRAMAÇÃO Pólen Editorial
CAPA Sart/Dreamaker Brand & Design
GERENTE DE PRODUÇÃO Fernando Borsetti

"Vocês Dois" (You Two) por Richard M. Sherman e Robert B. Sherman © 1968 (Renovado)
EMI UNART CATALOG INC. Todos os direitos controlados por EMI UNART CATALOG INC.
e ALFRED PUBLISHING CO., INC. Todos os direitos reservados. Reprodução autorizada.

Dados Internacionais de Catalogação na Publicação (CIP)
(Câmara Brasileira do Livro, SP, Brasil)

Claman, Liz
 O melhor conselho sobre investimentos que eu já
recebi / Liz Claman ; tradução Cristina Yamagami. —
São Paulo : Larousse do Brasil, 2007.

 Título original: The best investment advice I ever
received
 ISBN 978-85-7635-227-3

 1. Especulação 2. Finanças pessoais 3. Investimentos
I. Título.

07-4416   CDD-332.6

Índices para catálogo sistemático:
1. Investimentos : Finanças pessoais : Economia 332.6

1ª edição brasileira: 2007

Direitos de edição em língua portuguesa, para o Brasil, adquiridos por
Larousse do Brasil Participações Ltda.
Rua Afonso Brás, 473, 16º andar – São Paulo/SP – CEP 04511-011
Tel. (11) 3044-1515 – Fax (11) 3044-3437
E-mail: info@larousse.com.br
Site: www.larousse.com.br

Para Gabrielle e Julian

O que faz com que a batalha seja merecedora da luta?
O que faz com que a montanha seja merecedora da escalada?
O que faz com que a dúvida seja merecedora da pergunta?
A razão é merecedora da rima?
Alguém por quem lutar, fazer ou morrer.
Eu tenho vocês Dois.

"Vocês Dois"
Richard M. e Robert B. Sherman

AGRADECIMENTOS

Esta obra não existiria se não fosse por Bill Adler, da Bill Adler Books, que me procurou e disse: "Você precisa escrever este livro". Meus profundos agradecimentos à incomparável e incrivelmente talentosa Dana Beck, da Gravity Books, que foi uma grande fonte de orientação, paciência e apoio em cada passo do caminho. A Rick Wolff, meu editor na Warner Books, que me incentivou quando eu mais precisava. À Warner Books, por ter se arriscado comigo. Minha gratidão aos meus queridos colegas Bob O'Brien e Brad Goode, que ficaram na platéia me motivando, com chuva ou com sol. Bob e Suzanne Wright merecem toda a minha gratidão pelo enorme apoio que me deram, ajudando-me a crescer na CNBC. E agradecimentos especiais à CNBC, por me proporcionar as oportunidades mais maravilhosas a cada dia que passo lá.

A meu agente, Ken Lindner, que não apenas acreditou em mim desde o momento em que nos conhecemos como também tem sido um verdadeiro amigo. A Jack Welch, que, assim que lhe falei sobre o conceito do livro, começou a me bombardear com idéias brilhantes, todas incorporadas nesta obra. Meus profundos agradecimentos a todos os meus colaboradores, bem-sucedidos e muito ocupados, por terem reservado um tempo para partilhar seus segredos de Estado comigo e com meus leitores. Sou a pessoa mais sortuda do mundo por ter o homem mais inteligente, gentil e generoso como pai.

Já faz uma década que Moe Claman me pede para escrever um livro. Aqui está, pai. Obrigada por me inspirar a ir além dos meus limites. Minha gratidão eterna a minha mãe, tão esperta e deslumbrante. Mãe, espero que você fique orgulhosa. Obrigada a meus melhores amigos: minhas irmãs, Danielle, Holly e Shoshana, e meu irmão, Brook, por todo o amor, apoio e senso de humor que me dedicaram de forma tão sincera, em ligações telefônicas no meio da noite e de madrugada, de um lado ao outro do continente.

Minha maior dívida é com as estrelas mais brilhantes de minha vida: meu marido, Jeff Kepnes, e meus filhos, Gabrielle e Julian. Todas as pessoas deveriam ter a mesma sorte de contar com uma luz tão poderosa para iluminar seu caminho.

SUMÁRIO

Agradecimentos 7

Prefácio de Paul O'Neill
Ex-secretário do Tesouro dos Estados Unidos,
ex-presidente do conselho e CEO da Alcoa 17

Prefácio à edição brasileira de Fábio C. Barbosa
Presidente do Banco Real e da Febraban –
Federação Brasileira de Bancos 19

Introdução 23

**O melhor conselho sobre investimentos
que eu já recebi do maior investidor de
nossos tempos, Warren Buffett** 25

Cledorvino Belini
Presidente da Fiat para a América Latina. 30

Stanley M. Bergman
Presidente do conselho e CEO, Henry Schein, Inc. 32

SUMÁRIO

Maurício Botelho
Presidente do conselho de administração da Embraer. 34

Lázaro de Mello Brandão
Presidente do conselho de administração
do Banco Bradesco S.A. 37

Cássio Casseb
Presidente do Grupo Pão de Açúcar 39

Roberto Civita
Chairman do Grupo Abril e presidente
e editor da Editora Abril 42

Peter S. Cohan
Presidente da Peter S. Cohan & Associates 44

Hersh Cohen
Diretor de investimentos,
Citigroup Asset Management 48

John E. Core
Professor associado de contabilidade,
Wharton School of Business 50

James J. Cramer
Apresentador do *Mad Money* da CNBC;
comentarista de mercados, thestreet.com 54

Michael Critelli
Presidente do conselho e CEO,
Pitney Bowes, Inc. 56

SUMÁRIO

David Darst
Diretor de estratégia de investimentos,
Morgan Stanley Global Wealth Management Group 58

Bob Doll
Presidente e diretor de investimentos,
Merrill Lynch Investment Managers 61

David Feffer
Presidente do conselho de administração da Suzano Holding .. 64

Steve Forbes
Presidente e CEO, Forbes, Inc.;
editor-chefe da revista *Forbes* 66

Debby Fowles
Especialista de planejamento financeiro, about.com 70

Gustavo H. B. Franco
Sócio-diretor da Rio Bravo Investimentos 72

Dr. Bob Froehlich
Diretor de estratégia de investimentos,
Deutsche Asset Management 75

Bill Gross
Bilionário; fundador e diretor de investimentos, PIMCO 78

Jim Hackett
Presidente e CEO, Anadarko Petroleum Corporation 81

Frank Holmes
CEO e diretor de investimentos, U.S. Global Investors, Inc. .. 83

SUMÁRIO

Susan Ivey
CEO e presidente, Reynolds American, Inc. 86

Gary Kaminsky
Diretor-geral, Neuberger Berman Private
Asset Management 87

Bruce Karatz
Presidente do conselho e CEO,
KB Home 88

Robert Kiyosaki
Investidor e autor do *best-seller* internacional
Pai rico, pai pobre 89

A. G. Lafley
Presidente do conselho, presidente e CEO,
The Procter & Gamble Company 92

Joe Lee
Presidente do conselho,
Darden Restaurants, Inc. 93

Edward J. Ludwig
Presidente do conselho, presidente e CEO,
Becton, Dickinson and Company 95

Howard Lutnick
CEO, Cantor Fitzgerald 96

Roberto Irineu Marinho
Presidente da Globo Comunicação
e Participações S.A. 98

SUMÁRIO

Klaus Martini
Diretor de investimentos globais, Deutsche Bank
Private Wealth Management 100

Mackey J. McDonald
Presidente do conselho, presidente e CEO,
VF Corporation 103

Roger McNamee
Co-fundador e sócio-geral,
Integral Capital Partners 105

Alan B. Miller
Fundador, Universal Health Services, Inc. 109

Joe Moglia
CEO, TD Ameritrade 110

Marilyn Carlson Nelson
Presidente do conselho e CEO,
Carlson Companies 113

Emílio Odebrecht
Presidente do conselho de administração
da Odebrecht S.A., empresa holding da
Organização Odebrecht 116

Robert A. Olstein
Presidente do conselho, CEO e
diretor de investimentos, Olstein & Associates 118

Suze Orman
Autora de *best-sellers* e especialista em finanças pessoais 121

SUMÁRIO

Jim Rogers
Investidor internacional e *adventure capitalist* 125

Wilbur Ross
Bilionário, internacionalmente conhecido
como "Artista da Virada" 127

Tom Ryan
CEO, CVS Corporation 130

Roberto Egydio Setubal
Presidente do Banco Itaú 131

Manoel Horacio Francisco da Silva
Presidente do Banco Fator 133

Sy Sternberg
Presidente do conselho e CEO,
New York Life Insurance Company 135

Abram Szajman
Presidente do conselho de administração
do Grupo VR, da Federação do Comércio de
São Paulo, do Sesc e do Senac 137

Donald J. Trump
Empreendedor do mercado imobiliário,
autor de *best-sellers* e produtor de televisão 140

Márcio Utsch
Presidente da Alpargatas 141

SUMÁRIO

Robert Weissenstein
Diretor de investimentos,
Credit Suisse Private Banking USA 144

Miles White
Presidente do conselho e CEO, Abbott Laboratories 147

Tim Wolf
CFO Global, Molson Coors Brewing Company 149

Stephen P. Zeldes
Professor de economia e finanças,
Columbia Business School 151

Ivan Zurita
Presidente da Nestlé Brasil 155

Sobre a autora 158

PREFÁCIO

Liz Claman prestou um grande serviço público ao convencer muitos dos maiores investidores de sua geração a compartilhar suas idéias sobre como ser um investidor de sucesso. Há cerca de cinqüenta contribuições individuais nesta antologia. Os textos são legíveis e valiosos por si só e, juntos, revelam temas recorrentes.

Por trás de todos os temas está o objetivo da valorização de capital (aumentar suas economias) e o poder dos juros compostos. É impressionante saber que um investimento inicial de 23 mil dólares, a uma taxa de juros anual de 6%, cresceria ao montante de 1.015.334,35 dólares em 65 anos. O tempo e os juros compostos são pura magia.

Para obter qualquer resultado em investimentos, antes de mais nada é necessário poupar, e aqui você encontrará conselhos para começar a economizar logo e de forma consistente. Assim, verá uma grande variedade de conselhos que se concentram na preservação do capital. Em linguagem simples, significa: *não perca o que você já poupou*.

Muitos aconselham a alocação de ativos ou investimentos de forma diversificada como uma estratégia para obter a taxa média de retorno e, ao mesmo tempo, evitar os perigos de ter "todos os ovos em uma cesta só" ou de fazer investimentos sem ter os fatos ou o conhecimento necessários, como ocorre ao se aceitar uma dica de um colega de trabalho ou de um cunhado.

Ao longo dos anos, testemunhei pessoas inteligentes e bem-sucedidas que tomaram decisões financeiras muito tolas. Lembro-me bem de um sócio de uma grande empresa de contabilidade, espantado por eu pagar impostos enquanto ele usava mecanismos de economia fiscal para reduzir seus impostos a zero. Em poucos anos, sua estratégia foi por terra e ele ficou em uma situação bem pior do que estaria se tivesse pago seus impostos.

Quando era secretário do Tesouro dos Estados Unidos, fui a Nova York para dar uma palestra e conceder entrevistas a alguns dos maiores nomes dos noticiários da televisão. Quando estávamos fora do ar, um entrevistador me perguntou se eu tinha investido na bolha das ponto.com, como ele havia feito. Eu disse a ele que não, porque acredito haver uma grande diferença entre investir e especular. Durante a bolha das ponto.com, havia muitas empresas com valor de mercado de bilhões de dólares, apesar de não apresentarem lucros – e, em alguns casos, nenhuma receita. A maior parte dessas empresas virou pó, como aconteceu com o dinheiro que os investidores colocaram nelas. Essa é a lição final deste livro: se parecer bom demais para ser verdade, provavelmente é.

PAUL O'NEILL
Ex-secretário do Tesouro dos Estados Unidos,
ex-presidente do conselho e CEO da Alcoa

PREFÁCIO À EDIÇÃO BRASILEIRA

O melhor investimento é aquele feito em você mesmo

O livro *O melhor conselho sobre investimentos que eu já recebi*, de Liz Claman, uma das mais conceituadas jornalistas especializada em finanças nos EUA, cai como uma luva diante do excelente momento que vivemos na economia brasileira. Estamos passando por uma fase de diversificação de investimentos e, em 2006 e 2007, muitos produtos ganharam a preferência dos investidores nacionais. Além da tradicional caderneta de poupança, os brasileiros começaram a aplicar em fundos multimercado, fundos cambiais, títulos brasileiros e, como nunca antes, em ações. O fôlego de abertura de capital na Bolsa de Valores é impressionante: só em 2006, abriram seu capital 26 empresas.

Com tantas opções, onde investir? Como investir? Quando investir? Quanto investir? Afinal, qual a melhor estratégia de investimento? Todo investidor sabe que a melhor maneira de aprender, de conhecer o mercado, é praticar. Entretanto, quem não gostaria de receber dicas de grandes investidores para fazer render melhor seus investimentos?

Pois aqui, neste livro, vêm explicitados os conselhos pessoais de grandes personalidades. Do mercado norte-americano, temos a contribuição de gente como Warren Buffet, um dos maiores investidores de todos os tempos, e Steve Forbes, presidente da *Forbes*, uma das mais reconhecidas revistas de economia do mundo. Na edição brasileira, contamos com os depoimentos de respeitados líderes como Roberto Civita, *chairman* do Grupo Abril, Roberto Irineu Marinho, presidente da Globo Comunicações e Participações S.A., Roberto Setubal, presidente do Banco Itaú, Manoel Horacio Francisco da Silva, presidente do Banco Fator, entre tantos outros empreendedores. Seja oferecendo dicas para administrar seus investimentos, seja propondo momentos de reflexão e novas atitudes, cada depoimento traz importantes lições de vida.

Como não poderia deixar de ser, fala-se aqui de maneiras para investir seu dinheiro, mas os conselhos extrapolam o bolso. Em geral, eles se referem a decisões de longo prazo, relacionadas a atitudes perante a vida.

Quando alguém coloca dinheiro em um banco, não está apenas depositando uma quantia para o gerente administrar. Está, sim, depositando sonhos, pensando no retorno que terá a longo prazo. Mas pode também realizar sonhos administrando de outra maneira o capital: investindo em educação, por exemplo.

E aqui eu aproveito para dar minha contribuição, também, com uma história pessoal. Já recebi muitas dicas importantes sobre investimento, de familiares e de colegas de mercado financeiro. Recebi também de amigos. Mas deles também ouvi críticas quando tomei a decisão mais importante de investimento na minha vida. E é sem falsa modéstia que digo: veio da minha cabeça a melhor decisão que eu já tomei.

Eu tinha cerca de 23 anos, estava bem empregado, com boas chances de subir na carreira dentro da empresa em que trabalhava. Foi quando resolvi me desfazer do patrimônio que tinha acumulado até então para investir no que eu acreditava ser o mais importante: minha educação. Vendi meu carro e alguns bois (onde estava investido parte de meu capital), juntei com o restante que eu tinha disponível, e, somando uma ajuda da família, pude bancar um

PREFÁCIO À EDIÇÃO BRASILEIRA

curso de MBA no exterior, incluindo aí as despesas para mim e minha esposa. Que decisão acertada!

Se você tem receio de abrir mão de uma determinada posição no emprego para estudar, não está considerando as possibilidades que se abrem quando você investe em você.

Estudar é o melhor investimento possível, por uma simples razão: é algo que você nunca vai perder. A bolsa de valores pode ir mal, o banco onde está seu dinheiro pode quebrar, você pode precisar de todo o seu capital para resolver algum problema na vida... Mas, se qualquer dessas coisas acontecer, e você perder tudo, não perderá sua formação. Esta fica sempre com você e vai ajudá-lo a dar a volta por cima. Por isso, recomendo que este livro seja lido sob a ótica do aprendizado.

Mais do que apostar nesse ou naquele investimento, ao ler este livro, aproveite a oportunidade de aprender lições valiosas para ampliar seu conhecimento sobre como fazer escolhas acertadas e garantir sua tranqüilidade no futuro.

FABIO C. BARBOSA
**Presidente do Banco Real e da Febraban –
Federação Brasileira de Bancos**

INTRODUÇÃO

A primeira vez em que ouvi falar do mercado de ações foi em 1973; eu era uma menininha crescendo no sul da Califórnia. Notava que, toda manhã, meu pai, um cirurgião, pegava o *Los Angeles Times*, sentava-se à mesa do café-da-manhã e dizia: "Vamos ver como anda a minha Kodak". Ele ia direto para a página das tabelas do mercado de ações, passava o dedo pela lista de nomes escrita em letras miúdas e parava na Kodak. Eu não fazia idéia do que era a Kodak. "É a empresa que faz câmeras e *flashes*", ele me respondeu quando finalmente tive idade suficiente para perguntar. Em alguns dias ele sorria quando encontrava o que estava procurando na página. Em outros, franzia a testa e balançava a cabeça.

Ele me explicou o que era o mercado de ações, que ele tinha algumas delas e que o preço subia ou descia todos os dias; era como se fosse um jogo de azar. "Você só compra ações com o dinheiro que pode perder", ele me explicou. "Você precisa esperar o jornal chegar para saber o que aconteceu todos os dias?", quis saber. "É. Nós esperamos", ele disse, acrescentando um sorriso amargo, "mas os peixes grandes em Nova York já estavam sabendo disso ontem."

Muita coisa mudou desde 1973. Hoje em dia, qualquer pessoa com um computador tem acesso às cotações segundo a segundo. O jogo, de alguma forma, se equilibrou, graças à divulgação de informações e à liberdade dos investidores individuais para participar dessa Las Vegas conhecida como mercado de ações. Mas o verdadeiro sucesso no âmbito dos investimentos ainda pertence a alguns poucos, e foi por isso que eu quis escrever este livro. Gostaria que pessoas como meu pai tivessem acesso ao conhecimento, à filosofia de investimentos e ao estilo dos poucos incrivelmente bem-sucedidos.

Graças ao meu trabalho como âncora de noticiário na CNBC, descobri que tinha acesso a algumas das pessoas mais ricas, perspicazes e bem-sucedidas do mundo. Fiquei ansiosa para conhecer os melhores conselhos de investimentos que cada colaborador do livro recebeu na vida e como isso o ajudou a moldar seu próprio estilo. Cada um ofereceu diferentes raciocínios e idéias que funcionaram para eles. Ninguém tem a "fórmula secreta" perfeita que garantirá milhões instantâneos, mas, com a combinação de todos os conselhos, os leitores conquistarão uma visão impressionante das dicas de investimentos de pessoas a quem eles normalmente não teriam acesso. Por muito tempo Wall Street tem sido um jardim secreto ao qual apenas alguns poucos privilegiados têm acesso. Neste livro, espero transformar esse jardim secreto em um campo aberto no qual todos os jogadores possam marcar pontos.

LIZ CLAMAN

O MELHOR CONSELHO SOBRE INVESTIMENTOS QUE EU JÁ RECEBI DO MAIOR INVESTIDOR DE NOSSOS TEMPOS, WARREN BUFFETT

Um dia desses, eu estava apresentando meu programa de notícias financeiras quando olhei para a câmera e anunciei: "O investidor bilionário Warren Buffett acabou de apostar em uma empresa israelense. Será que agora é o momento para *você* começar a considerar as empresas israelenses como um bom investimento?".

Se Warren Buffett assistiu, deve ter caído na risada, ou pelo menos rido por dentro! E eu sei por quê. Se há algo que aprendi nos meus oito anos como repórter e âncora do noticiário financeiro, é que Warren Buffett compra *empresas*. Ele não compra setores, "idéias" ou modismos. Se estiver pensando em comprar uma empresa – ou apostar em uma –, ele a desmontará como faria uma criança com um rádio velho, tentando descobrir como todos os fios e pequenas peças funcionam. Ele não comprou aquela empresa israelense por acreditar que Israel seria a "próxima onda". Ele a comprou porque aquela empresa específica se encaixava em sua fórmula. E que fórmula!

Ao longo dos anos, observei com entusiasmo o estilo de investimentos de Buffett e tive a oportunidade de conversar com ele sobre a maneira como investe. Uma vez ele me contou que, quando tinha 19 anos, leu um livro que mudou todo o seu conceito sobre investimentos. Ele estava na University of Nebraska em 1949 e, durante seu último ano de faculdade, comprou um exemplar do livro de Benjamin Graham, *The intelligent investor*.

O que ele aprendeu com esse livro acabou se transformando em seus próprios três princípios de investimentos, regras que seguiu durante décadas. Coisas simples, como ele as chamava. Seu princípio mais importante é que você precisa olhar para uma ação *como sendo ela parte de um negócio*, e não algo que tem luz própria ou algo que seu corretor ou vizinho lhe indique.

Buffett analisa uma empresa e estima com cuidado o *valor intrínseco do negócio*. Como se faz isso? Para os iniciantes, analise os relatórios e demonstrações de resultado que toda empresa de capital aberto deve fornecer aos investidores. Depois de ler e estudar tudo, pergunte a si mesmo se esse negócio é direto e compreensível. Ele tem um fluxo de caixa? Quais são os prospectos de longo prazo? Seus relatórios financeiros são relativamente consistentes? Ele possui um histórico operacional sólido e consistente? Altas margens de lucro? Todos esses elementos representam sinalizações importantes que Buffett analisa antes de decidir investir em uma empresa.

Nada disso é muito complicado ou sofisticado. Mesmo assim, poucos investidores parecem dedicar seu tempo para seguir esses simples passos. Mas Warren Buffett o faz.

O segundo princípio de Buffett envolve a *atitude do investidor em relação às flutuações das ações e do mercado*. Ele disse que essas flutuações estão lá para servir aos investidores, e não para dominá-los. Buffett acredita que os investidores deveriam fazer vista grossa para as turbulências diárias do mercado de ações. Empresas de qualidade conseguem sobreviver a essas turbulências. Sim, elas podem sofrer durante um ou dois trimestres, mas, a longo prazo, permanecerão grandes e fortes. O melhor exemplo da capacidade de Buffett de ignorar a histeria do mercado ocorreu durante a exultação das ponto.com, no fim da década de 1990. Ele simplesmente não permitiria ser "dominado" pela histeria que afetava o mercado de ações naquela época e, com isso, abandonar sua fórmula já testada e comprovada. Com o tempo, ficou claro que essa era uma estratégia sólida que garantia o sucesso de sua empresa e seus investidores.

Seu terceiro princípio envolve a *margem de segurança*. Isso significa, nas palavras de Buffett, que você nunca conseguirá calcular com precisão o valor de uma ação: tudo o que *pode* fazer é estimar. Ele disse, repetidas vezes, que os investidores deveriam encontrar propriedades onde há uma grande discrepância... e, se fosse possível comprá-las por dois terços de seu valor, que comprassem. Mas como? Enquanto analisa os relatórios e as demonstrações da empresa, some os números e se pergunte se o preço do negócio (ou da ação) está mais baixo que seu valor. Em outras palavras, se você puder calcular que a ação de uma empresa vale entre 80 e 120 dólares e puder comprá-la por 60 dólares, faça isso.

Ano após ano, Buffett prepara seu bolo de investimentos com os mesmos ingredientes que no ano anterior, sempre com uma pitada de humor. Um exemplo perfeito vem de sua carta aos acionistas da Berkshire Hathaway em 1995 (Buffett, é claro, é o presidente do conselho e o CEO da Berkshire Hathaway, Inc.):

> Eu e Charlie Munger, vice-presidente do conselho da Berkshire e meu parceiro, queremos montar uma coleção de empresas – em participação total ou parcial – que apresentem excelentes características econômicas e sejam lideradas por administradores notáveis. Nossa aquisição preferida é a transação negociada que nos permita adquirir 100% de um negócio como esse a um preço justo. Mas ficamos quase tão felizes quando o mercado de ações nos oferece uma chance de comprar uma modesta porcentagem de um negócio notável a um preço *pro rata* bem abaixo do que seria necessário para comprar 100%. Essa abordagem de duas mãos – aquisições de negócios inteiros por meio da negociação ou aquisições parciais por meio do mercado de ações – nos proporciona uma importante vantagem sobre os alocadores de capital que se orientam em uma única direção. Woody

Allen explicou por que esse ecletismo funciona: "A grande vantagem de ser bissexual é que isso dobra as suas chances de se dar bem em uma noite de sábado".

Ao longo dos anos, temos pensado dessa forma, tentando aumentar nossos investimentos em títulos negociáveis de negócios maravilhosos e, ao mesmo tempo, tentando comprar inteiramente negócios similares.

Mas Warren é muito mais do que as empresas que comprou e vendeu. Muitos o consideram o herói de bom caráter dos negócios norte-americanos. Ele é o primeiro a assumir a culpa quando os números de sua própria empresa não estão crescendo de acordo com seus padrões ou os de seus acionistas. Em sua carta de 1999 aos acionistas, ele escreveu:

> Os números apresentados na primeira página mostram como nossos resultados de 1999 foram fracos. Tivemos o pior desempenho absoluto da minha gestão e, comparado com a S&P, também o pior desempenho relativo... Até o Inspetor Clouseau conseguiria encontrar o culpado do ano passado: o seu presidente do conselho.

E ele sempre se prontificou a falar sobre os erros que cometeu e as lições que aprendeu. Em sua carta aos acionistas, em 1989, Warren escreveu:

> Se você comprar uma ação a um preço suficientemente baixo, deverá haver alguma agitação nas fortunas do negócio que lhe dará a chance de vender essa ação com um lucro decente, mesmo que o desempenho de longo prazo do negócio possa ser terrível. Eu chamo essa abordagem de a "bituca de cigarro" dos investimentos. Uma bituca de cigarro, encontrada na rua, que tenha só uma tragada

sobrando pode não oferecer uma grande experiência de fumo, mas a "pechincha" fará com que essa tragada seja lucro puro.

A não ser que você seja um liquidante, esse tipo de abordagem para comprar negócios é imprudente. Para começar, o preço original da "pechincha" provavelmente não será um roubo tão grande. Em um negócio difícil, assim que um problema é resolvido, um outro emerge – nunca há apenas uma barata na cozinha.

Em segundo lugar, qualquer vantagem inicial que você assegure será rapidamente minada pelo baixo retorno que esse negócio ganha. Por exemplo, se você comprar um negócio por 8 milhões de dólares que possa ser vendido ou liquidado de imediato por 10 milhões que venham a ser investidos, sem demora, em outro lugar, é possível conseguir um alto retorno. Mas o investimento será decepcionante se o negócio for vendido por 10 milhões de dólares em dez anos e nesse meio tempo tiver, anualmente, rendido e distribuído apenas uma pequena porcentagem em retorno. O tempo é amigo de um negócio maravilhoso e inimigo do medíocre.

A maior certeza que adquiri sobre Warren Buffett, ao longo dos anos, é que ele é tudo, *menos* medíocre. Sua honestidade, sua obstinada oposição aos calotes e truques dos negócios e sua preocupação pelos interesses de seus acionistas são palpáveis. Seus três simples princípios – tão fáceis para um investidor médio entender e seguir – fizeram dele o investidor acompanhado mais de perto e o mais imitado da história.

LIZ CLAMAN

CLEDORVINO BELINI

Presidente da Fiat para a América Latina

Estudar. Esse foi o conselho de investimentos mais importante que tive na minha vida, e o recebi quando ainda era criança. Naturalmente, os grandes conselheiros foram meus pais. Foi preciso que eles insistissem com a recomendação para eu priorizar os estudos, à frente das brincadeiras e do futebol nas ruas da minha infância. Demorou um pouco para eu perceber que aquele conselho era uma enorme fonte de riqueza futura. Hoje, tenho certeza disso. E mais: não apenas riqueza material, mas a capacidade de compreender as pessoas e o mundo em que vivemos e de me sentir apto a propor soluções para o melhor equacionamento de qualquer problema que tenhamos, nas empresas e na vida.

Acredito que conselhos só podem ser levados a sério quando se tem a confiança no conselheiro. Isso também vale para a vida e para os negócios, sejam os conselheiros amigos pessoais ou profissionais com quem compartilhamos as missões do nosso trabalho.

Investimento, por sua vez, pressupõe o empenho em algo que nos custa caro, em um projeto de longo prazo, a ser maturado dentro de uma perspectiva em que o tempo atenue os riscos e multiplique os dividendos. Como não temos bola de cristal para saber ao certo quais negócios ou oportunidades são as mais rentáveis, a aposta no estudo e na aprendizagem é uma cartada sem risco, porque o conhecimento sempre terá alguma utilidade e o que se aprendeu um dia nunca deixará de ter valor.

Aos 27 anos, tive a evidência mais forte de que o investimento no estudo traz retorno líquido e certo. Naquela idade, fui nomeado gerente da então Fiat Tratores (hoje CNH), e não tive dúvidas de que aquela indicação havia sido motivada pela capacitação que demonstrei ter, não só devido ao que aprendi nos livros e nas escolas, mas também com a observação atenta dos processos e fluxos de trabalho. Aliás, suspeito até hoje que essa promoção só não veio alguns anos antes porque meus superiores me julgaram jovem demais para tanta responsabilidade.

Desde então, nunca mais deixei de praticar aquele sábio conselho recebido na infância. A cada novo tema que surge na minha mesa de trabalho, procuro imediatamente pesquisar o assunto, identificar suas implicações no negócio, em busca de oportunidades de inovação e antecipação de tendências. E não hesito em recorrer aos especialistas – é muito bom tê-los sempre por perto! Além da enriquecedora troca de informações, ainda ganho tempo. Sempre que posso, recomendo aos meus colegas que procurem aprender mais. Afinal, vivemos na era do conhecimento. As pessoas e as organizações que têm no aprendizado contínuo uma de suas estratégias são aquelas que crescem mais rápido e obtêm os melhores resultados ao longo do tempo.

STANLEY M. BERGMAN

Presidente do conselho e CEO, Henry Schein, Inc.

Como presidente do conselho e CEO de uma bem-sucedida empresa que participa da *Fortune 500*, relação das quinhentas maiores empresas dos EUA segundo a revista *Fortune*, é compreensível que as pessoas presumam que eu, pessoalmente, tenha muito conhecimento sobre como fazer bons investimentos. Mas o que aprendi em minha carreira foi a sabedoria de encontrar uma equipe de consultores especialistas que cobrem cada faceta do negócio – de marketing e finanças à logística –, levando suas orientações em consideração e, geralmente, aceitando seus conselhos. Uma prova da eficácia dessa abordagem pode ser vista no crescimento da Henry Schein, Inc.

Utilizo essa mesma abordagem ao fazer investimentos: contrato os serviços de consultores profissionais com um histórico de sucesso comprovado, para encontrar as respostas de acordo com minhas metas de investimentos e ouvir seus conselhos.

Analisando os conselhos que recebi ao longo dos anos, identifiquei três características que empresas bem-sucedidas parecem compartilhar.

Primeiro, invista em organizações que estejam em bons mercados. Uma empresa pode ser, no máximo, tão saudável quanto os mercados a que serve. Deve haver várias oportunidades para o crescimento futuro; estude as tendências demográficas que possam impulsionar o crescimento, como o envelhecimento da população ou um aumento na renda discricionária, e certifique-se de que a empresa esteja bem equilibrada em suas ofertas ao mercado, para superar maus momentos nos negócios, em um ou mais segmentos de mercado.

Em segundo lugar, invista em empresas que tenham cultura, pessoas e valores excepcionais. Dos vários ativos de uma empresa, o mais importante é seu pessoal – seus valores e a cultura que eles criam juntos. Ouça o que uma empresa diz sobre o seu pessoal e o que os empregados dizem sobre a empresa. Leia as diretrizes da empresa que apresentam a forma como eles conduzem os negócios, para ver se eles "agem conforme o discurso". Procure organizações que apresentem um trabalho em equipe coeso, voltado para uma missão clara e comum aos seus membros, em vez de um grupo de indivíduos com metas divergentes.

Em terceiro lugar, invista em empresas que se reinventam constantemente. Os mercados mudam mais depressa hoje do que no passado. Vivemos em uma era de comunicações instantâneas ao redor do mundo e de um mercado global que nunca fecha. Novas oportunidades a todo instante e algumas áreas, tradicionalmente lucrativas, estão se tornando obsoletas. As empresas que serão as líderes de mercado amanhã são as que constantemente se analisam com um olho crítico e se reinventam para servir melhor aos mercados emergentes ou em evolução.

Esses três atributos compõem a base para uma boa estratégia de investimentos de longo prazo.

Maurício Botelho
Presidente do conselho de administração da Embraer

Sou carioca, formei-me em 1965 na Escola Nacional de Engenharia (ENE) da Universidade do Brasil, uma das duas melhores do Rio de Janeiro na época – a outra era a Escola Politécnica da Pontifícia Universidade Católica. No vestibular passei em ambas, mas optei de início pela PUC, trancando minha matrícula na ENE, já que naquele momento pretendia ser engenheiro eletrônico e o curso, lá, só era superado pelo do Instituto Tecnológico da Aeronáutica, o ITA. Conto esses detalhes porque foi em minha breve passagem pela PUC, de onde saí ao final do primeiro ano, que recebi o conselho mais relevante para minha carreira no futuro. Ou seja, de certa forma foi também um conselho sobre investimentos, não financeiro, mas sim pessoal e profissional.

Como a universidade era católica, é lógico que em todos os cursos o cunho humanista estava sempre presente. Tínhamos de aprender filosofia e teologia, por exemplo, para a revolta dos jovens estudantes de engenharia, interessados somente na técnica, na matemática e na física. Com esse espírito, uma cadeira do curso, em particular, que aliás existe até hoje, era para todos nós sem nenhum atrativo: cálculo numérico, que trata de um tipo de cálculo baseado em aproximações, tentativas e experiências – e não na ciência estruturada.

Um dia, fui conversar com o professor de cálculo numérico porque estava com uma dúvida. E eis que, a certa altura da conversa, ele me disse: "Maurício, você será tão mais bem-sucedido quanto melhor psicólogo for". Na hora, achei que ele era meio louco. Mas, ao longo da minha vida, fui percebendo que aquela frase tão fora de lugar, tão disparatada, ainda por cima apresentada a mim dentro de uma disciplina tão insossa, foi uma das que tiveram maior impacto em minha formação. Não digo que me tornei um psicólogo, mas voltei a me lembrar dela muitas vezes, à medida que a minha carreira me ensinava o valor do fator humano em tudo o que se faz. Quem realiza as coisas não é o dinheiro, não é a máquina, mas sim as pessoas.

A Embraer é um grande exemplo disso e de como, se as pessoas estiverem devidamente motivadas, preparadas e integradas, multiplicar esforços e alcançar resultados excepcionais. Quando assumi a presidência da empresa, em 1995, nove meses depois da privatização, a Embraer vinha de quatro anos de uma crise violenta, estava quase destruída. Dos mais de 13 mil empregados que tinha em 1989, restavam, naquela época, somente 6.400. A estrutura também era militarizada, existia pouco diálogo, obedeciam-se ordens e valorizava-se somente a técnica.

Então, o grande trabalho inicial foi transformar radicalmente o clima interno de modo a constituir ali uma outra empresa, moderna, privada, onde a engenharia e a indústria não fossem os objetivos em si mesmos, mas apenas representassem o meio para atingir as metas da satisfação dos acionistas e dos clientes. Quer dizer, foi basicamente um trabalho de mudança de mentalidades. As pessoas é que teriam de mudar, e me veio à mente aquele conselho do meu tempo de estudante.

Em todo o processo que se seguiu, o fator humano foi fundamental. A expansão da Embraer se fez por causa das pessoas, ao mesmo tempo em que estas só foram mantidas, qualificadas, preparadas, porque a expansão dos mercados da Embraer aconteceu. Só se consegue conservar as pessoas em uma empresa se elas estiverem permanentemente desafiadas em seu crescimento pessoal e profissional, e isso por sua vez só acontece se a empresa também estiver crescendo. Quer dizer, a satisfação das pessoas, sua motivação e as metas da Embraer andaram juntas.

Apenas nos últimos cinco anos investimos US$ 120 milhões em treinamento. As pessoas, na Embraer, são relevantes e tratadas como tal. Graças a isso, temos conseguido lançar produtos inovadores, vitoriosos e penetrar na área da aviação executiva, buscando oportunidades com competência e objetividade. Para mim, um dos mais relevantes significados da Embraer para o Brasil não é só o valor econômico gerado pelas nossas exportações de aviões, mas também a qualidade intrínseca dessas exportações. É ver o país participando competitivamente e vencendo num mercado sofisticado, que adota as mais avançadas práticas e tecnologias existentes. E esse é um valor intangível – portanto, um valor acima de tudo humano.

LÁZARO DE MELLO BRANDÃO

Presidente do conselho de administração
do Banco Bradesco S.A.

Abrindo posicionamento sobre minha carreira profissional, debruço-me sobre os anseios da juventude. De origem humilde, vivendo em Marília, pacata cidade do interior paulista, visava alcançar a sustentabilidade própria. A atividade bancária me fascinava. Entrelaçando os estudos fundamentais, preparei-me para concurso de ingresso no Banco do Brasil, do governo federal, com promessa de conforto. Por razões acidentais, ingressei numa casa bancária em Marília enquanto aguardava oportunidade de concurso. Adaptei-me e dediquei-me inteiramente.

No ano seguinte, a casa bancária alçou a categoria de banco, hoje o Bradesco. Ingressou o lendário Amador Aguiar para projetá-lo no cenário nacional. O primeiro passo foi transferir o comando para a capital do Estado, para onde convergiam os fatos econômicos mais relevantes. A concorrência dos então bancos tradicionais era forte. Os desafios despertavam ânimo de afirmação. Ao crescimento orgânico agregaram-se compras numa velocidade tal que, nos dez primeiros anos, o banco já despontava na liderança, sustentada até os dias de hoje.

Toda essa laudatória para declarar que o Bradesco gerava oportunidades para eu me identificar com a luta que se travava – e ainda se mantém –, amoldando-me para subir progressivamente na carreira que escolhera espontaneamente. Galguei todos os cargos intermediários, assumindo a presidência executiva, seguida da participação no Conselho, chegando a acumular a presidência executiva e a presidência do Conselho. Posteriormente, transferi a presidência executiva e mantenho até hoje a presidência do Conselho.

Parece-me que cabe declarar que meu ingresso se deu no ano de 1942 e que, portanto, completo 65 anos ininterruptos na mesma organização. A lição que me parece lógica é que compensou largamente embrenhar-me nos conhecimentos e na execução de tarefas dentro dos objetivos da organização. O fundamental para a ascensão se reflete na dedicação de corpo e alma e no espírito aberto para mudanças de paradigmas nas fases mais agudas do embate.

Cássio Casseb
Presidente do Grupo Pão de Açúcar

Qual seria o melhor conselho sobre investimentos que já recebi na vida? Não consigo pensar em um conselho específico para explicar como construí meu patrimônio. Todas as nossas iniciativas são sempre reações à realidade e nunca deixam de estar ligadas a tudo o que a gente aprendeu. Fazendo um exame cuidadoso de minha história pessoal, identifico quatro situações fundamentais em que investi e obtive resultados excepcionais. Por trás de todas elas estavam intuição e decisões, portanto estavam também os conselhos e sugestões de pessoas que me ensinaram coisas na vida.

Começando pela ordem inversa, a quarta situação nasceu de uma conversa com um primo, Lúcio Carvalho, que estava fazendo um lançamento imobiliário em Marília, no interior de São Paulo. Seu projeto era muito inteligente, racional e simples. Analisando o PIB, a renda per capita e o potencial de desenvolvimento da cidade, ele apostou na construção de um condomínio "de rico" – com asfalto, toda a infra-estrutura e dando as plantas para os proprietários construírem suas casas –, mas destinado a pessoas de renda mais modesta. Eu acreditei na idéia, resolvi comprar um pedacinho e tive um resultado fabuloso: mais de 500% de lucro em dois ou três anos, objetivamente o maior retorno de um investimento que já tive até hoje.

Antes desse, o terceiro e o segundo momentos decisivos na consolidação de meu patrimônio estavam ligados ao meu trabalho. Nos dois casos, eu atuava na direção de bancos – o Francês e Brasileiro e, depois, o Citibank. Resumidamente, no primeiro eu estudei a conjuntura, identifiquei que a política que o Banco Central vinha adotando não poderia se sustentar a longo prazo e resolvi fazer uma operação fundamentada nessa aposta. Aquela política realmente não se sustentou, o banco ganhou uma fortuna com a operação e eu também, por bônus de resultados alcançados.

O segundo caso foi ligeiramente diferente. Deduzi que haveria uma mudança cambial – e ela veio muito rapidamente – baseado numa única frase, em que transpareceu o pensamento das autoridades monetárias da época, em meio a uma reunião com muitas pessoas. Não sei se perceberam ou não a importância daquilo, mas eu novamente confiei na percepção. Fiz outra operação que gerou enorme lucro para o banco, com os mesmos benefícios para mim.

De todas essas experiências, minha conclusão é que o grande investimento de minha vida, o melhor que já fiz, foi aquele em mim mesmo. Nasci em São Paulo, meu pai era professor primário no Exército e cedo ficou doente. Minha mãe precisou trabalhar e a vida da família foi muito dura, desde o começo. Eu apostei, então, tudo nos estudos. Comecei no Fernão Dias, um colégio público, me apliquei, consegui entrar no Dante Alighieri como bolsista e dali passei para a engenharia da Poli, na Universidade de São Paulo.

Minha formação foi em engenharia de produção, mas quando saí da faculdade fui direto para o mercado financeiro. Era o fim dos anos 1970, começo dos 1980, e na época eu via no mercado financeiro uma bela onda para surfar, com grandes possibilidades profissionais. Os dois primeiros anos de minha carreira foram muito conturbados porque me formei engenheiro e pensava com cabeça de técnico – só dava valor a quem sabia "fazer conta". Mas, aos poucos, comecei a perceber que o mundo é um pouco diferente e que a humanidade não perdeu 2 mil anos à toa tentando aperfeiçoar as relações humanas. Foi então que comecei a me "humanizar" e minha carreira passou a ir bem.

Essa humanização foi parte daquele investimento em mim mesmo. E por que ele deu certo? Nas empresas em que trabalhei, adotei três regrinhas muito simples: se você criar a estratégia certa e puser as pessoas certas nos lugares certos, dá certo; se criar a estratégia certa e não puser as pessoas certas nos lugares certos, dá errado; e se criar a estratégia errada e puser as pessoas certas nos lugares certos, dá razoavelmente certo...

Então, no fundo, o importante é sempre a pessoa. É encontrar valores e compatibilizar os objetivos das pessoas com os objetivos da organização, para extrair o melhor delas. Não adianta escalar Beethoven para jogar basquete, e Deus não está disponível para trabalhar individualmente para cada um de nós. Ele trabalha para todos, então é preciso procurar em cada pessoa o que ela faz bem e otimizar isso da melhor maneira possível. Essa é a única forma de fazer uma empresa crescer – porque qualidade, velocidade, preço, coisas que antigamente faziam diferença, hoje são fatores de sobrevivência – quem não tem essas coisas nem existe.

Apostar em pessoas foi o que fez minha carreira dar certo. Investi grande parte do meu tempo em identificar competências e me cercar delas. Quem é incompetente se cerca de gente incompetente para se fazer imprescindível, mas quem é competente procura outros bons exatamente para se fazer prescindível e poder subir. Eu apostei tudo nisso. Hoje, quando olho para minha carreira, vejo que, por investir em mim mesmo e nas pessoas, fui o tempo todo expulso – para cima.

ROBERTO CIVITA
Chairman do Grupo Abril e presidente
e editor da Editora Abril

O melhor conselho sobre investimentos que recebi na vida quase me matou de infarto na hora. Foi há uns trinta anos, meu pai ainda comandava o Grupo Abril e eu era responsável por toda a área de publicações. Nós vínhamos negociando um acordo com um dos maiores grupos editoriais do mundo, o alemão Bertelsmann, que estava presente em dezessete países. A Bertelsmann era proprietária da maior empresa de clubes do livro do planeta e nós pretendíamos criar um aqui, a ser chamado Círculo do Livro.

Eu era o responsável por montar toda a operação, que seria uma *joint-venture*, à base de 50%-50%. Os alemães nunca tinham feito nada parecido, por isso era uma negociação difícil, que já durava três meses. Em todos os países em que a Bertelsmann atuava, ou ela tinha 100% do negócio, ou seu sócio era local e possuía uma fatia menor. Nós fizemos muitos estudos, análises, *business plans*, até que um belo dia o contrato ficou pronto e nos preparamos para receber o Chairman e CEO da empresa, Reinhard Mohn.

Ele veio no próprio avião com mais quatro diretores. Chegando a São Paulo, foram diretamente para a Abril a fim de assinar o contrato. Eu, meu pai e mais três diretores estávamos lá. No total, éramos dez em torno da mesa de reuniões. Reinhard Mohn fez o discurso inicial, dizendo quanto estava satisfeito em fazer aquele acordo. Então chegou a vez de meu pai falar. VC, como eu e todos na

Abril chamávamos Victor Civita, saiu-se com o seguinte: "Sabe, Reinhard, hoje de manhã, enquanto fazia a barba, me ocorreu que esse negócio de *fifty-fifty* não funciona. É melhor que o sócio local tenha o controle".

Houve um silêncio tremendo, um desses silêncios ensurdecedores. Ninguém respirou. Afinal, nós não tínhamos um único clube do livro e eles eram os gigantes do mundo. Depois de vários minutos, o alemão olhou bem para meu pai e disse: "Mas, Victor, e o que eu ganho com isso?". Meu pai, por sua vez, olhou para mim, com aquele olhar de "diga alguma coisa". Sem nenhuma outra inspiração, falei: "51% dos lucros". Reinhard ficou quieto mais alguns segundos, pensou e respondeu: "54% dos lucros". Na mesma hora meu pai se levantou, apertou a mão dele e disse: "Fechado".

Enfim, colocamos o dinheiro em partes iguais, nós ficamos com 51% dos votos e eles com 54% dos lucros. E o negócio floresceu durante muitos anos. Quando a reunião acabou, eu disse a VC: "Depois de três meses de negociações! Você quase me matou de susto!". Foi nessa hora que VC me deu aquele conselho: "Roberto, nunca faça um acordo *fifty-fifty*; ou você é majoritário ou minoritário, essa história de partes iguais não dá certo".

Muitos anos mais tarde, quando meu pai já não estava mais entre nós, fiz um acordo *fifty-fifty* numa negociação importante. Na hora em que assinei o contrato, pensei: "VC diria que eu não deveria fazer". Mas fiz. Passaram-se mais alguns anos e aquele negócio deu errado, porque a falta de alguém com poder de decisão levou a atritos entre os sócios e à imobilização do negócio. No dia em que saímos da empresa, depois de vender nossa parte, lembrei-me de VC e de como ele tinha razão. Aquele foi, então, um conselho cujo valor testei e comprovei. Demorei, mas aprendi.

PETER S. COHAN

Presidente da Peter S. Cohan & Associates;
autor de *Value leadership: the 7 principles
that drive corporate value in any economy*

Recebi um precioso conselho de meu pai, que foi relativamente bem-sucedido nos investimentos. Ele sempre me alertou contra vender a descoberto. Trata-se de uma prática por demais arriscada, já que há um potencial ilimitado de perda. Se você comprar uma ação a descoberto a 10 e ela subir para 20, 50 ou 100, teoricamente não haverá limites para o volume de dinheiro que pode perder. Você precisa ser muito cuidadoso e ter absoluta certeza do que faz. O conselho de meu pai instigou minha curiosidade para saber as condições nas quais vender a descoberto seria um bom negócio. Uma sólida oportunidade de negociar a descoberto surge quando você pode obter algumas ações de uma empresa que está se encaminhando para a falência. Se você encontrar empresas que apresentem alta alavancagem e estejam em perigo de violar seus contratos com os bancos, em razão de tendências do setor e financeiras, será possível ganhar dinheiro com a venda a descoberto. Você só precisa tomar cuidado.

É possível encontrar casos em que aquilo que é aceito como senso comum, no que se refere a investimentos, não funciona. Esses casos podem criar oportunidades interessantes de investimentos. Há algumas empresas que, no papel, parecem não estar bem, mas as pessoas gostam das histórias que as envolvem. As emoções entram em jogo e as ações sobem cada vez mais, apesar de os indicadores financeiros da empresa não serem os melhores. Taser, Krispy Kreme e Martha Stewart são alguns exemplos de ações de momento. As pessoas gostam do produto, gostam dos empregados, gostam da história.

O melhor a fazer para o sucesso dos investimentos é identificar as tendências dominantes em uma era específica. Houve, basicamente, duas eras nos últimos dez anos. O período entre 1995 e 2000 foi a era da tecnologia, que valorizou o capital intelectual e a internet. No começo de 2001, com a mudança de regime nos Estados Unidos, iniciou-se uma nova era. Conglomerados de setores como carvão, óleo, gás natural, defesa e algumas mídias conservadoras substituíram o capital intelectual e a internet como as novas tendências dominantes. Quanto antes você puder identificar uma mudança em uma era, mais cedo poderá investir nela. Após investir nos novos grupos dominantes dos setores, o próximo passo será aplicar uma análise competitiva para entender qual setor terá um bom desempenho e quais empresas nesse setor têm mais chances de ser bem-sucedidas. Se você puder fazer isso no início de uma era, terá excelentes oportunidades de investimentos.

Quando estiver pesquisando as empresas nas quais investir, pense fora do quadrado. Depois da Enron e da WorldCom, tentei pensar nas lições que poderiam ser tiradas desses incidentes para ajudar os investidores. Queria saber se havia alguns princípios gerais que tanto investidores quanto gerentes gerais pudessem usar para se conduzir a retornos mais altos. Depois de pesquisar várias empresas, cheguei a oito líderes de mercado. Eram empresas de capital aberto que cresceram 35% mais rápido em vendas que seus concorrentes, tiveram margens líquidas 109% mais altas e desempenhos de ações muito superiores aos outros participantes do setor. Descobri que essas empresas apresentavam sete princípios comuns de liderança de mercado:

1. Valorização dos relacionamentos humanos: empresas bem-sucedidas acreditam que a forma como tratam os empregados é importante. Se você os tratar bem, eles tratarão bem o cliente; os

clientes voltarão para repetir o negócio, e um cliente que volta é mais lucrativo do que um novo cliente. A Southwest Airlines constitui um bom exemplo. Eles têm um rigoroso processo de contratação e enfatizam muito o trabalho em equipe. Como resultado, ela é a única empresa, no setor de linhas aéreas, que foi lucrativa em todos os anos, desde que entrou em operação.

2. Encorajamento do trabalho em equipe: a Goldman Sachs faz isso muito bem. Eles recrutam pessoas que trabalham bem em equipe e demitem as que se colocam acima dos interesses da empresa. A companhia cresceu 45% mais depressa que os concorrentes.

3. Experimentação econômica: fazer muitos experimentos para desenvolver novos produtos e serviços, mas não gastar muito dinheiro nos experimentos é a chave para o sucesso da 3M. Os adesivos Post-it foram criados depois de um processo de experimentação, nada dispendioso, em que dois funcionários da empresa os usaram para marcar suas *Bíblias* aos domingos. Hoje, a cultura da empresa gira em torno de encorajar esse tipo de experimentação entre os empregados. O preço das ações da empresa subiu 7% ao ano durante os últimos 33 anos.

4. Fidelidade aos compromissos: em 1982, sete pessoas morreram de envenenamento por cianureto encontrado em embalagens de Tylenol. A Johnson & Johnson possui um credo que soa politicamente correto demais, mas a empresa o segue à risca. Imediatamente, sem esperar pela aprovação do CEO, que estava incomunicável em um avião, a empresa recolheu 31 milhões de embalagens, a um custo de 150 milhões de dólares. Hoje, essa reação é considerada um exemplo de como as empresas devem ser fiéis aos seus compromissos.

5. Luta contra a complacência: o problema enfrentado por muitas empresas bem-sucedidas é que elas começam a achar que tudo o que fazem está certo. Depois de um projeto, a Microsoft conduz extensas análises, envolvendo memorandos de 60 a 100 páginas. Os memorandos são distribuídos a todos, incluindo Bill Gates. Eles

analisam o que a empresa fez errado e qual é a estratégia para melhorar seu desempenho. Essa cultura de autocrítica e esforço para melhorar é essencial no combate à complacência e na manutenção do crescimento da empresa.

6. Vencer com a utilização de múltiplos recursos: não tente competir usando apenas uma competência. Use cinco ou dez. Isso faz com que os concorrentes tenham mais dificuldades em imitá-lo. A MBNA se sobressai em vários aspectos – avaliação de crédito, treinamento de pessoal de atendimento ao cliente, segmentação de mercado e vendas pessoais. Seu talento nessas várias frentes fez da MBNA a maior concessora de empréstimos de cartões de crédito do mundo, atraindo a atenção do Bank of America, que concordou em comprar a empresa por 35 bilhões de dólares em junho de 2005.

7. Serviços à comunidade: apesar de ter sido alvo de muitos comentários negativos na imprensa, o Wal-Mart tem doado 200 milhões de dólares, anualmente, às comunidades locais durante anos. Grande parte do crescimento da empresa depende do envolvimento comunitário. Sempre que quer abrir uma loja, a empresa encontra resistência da comunidade. O Wal-Mart aprendeu a compreender as necessidades da comunidade e a tentar harmonizá-las com o crescimento desejado da empresa. Com isso, eles foram capazes de manter uma rápida taxa de crescimento gracas à sua capacidade de retribuir.

A implicação para os investidores é que você deve tentar calcular o quociente de valor da empresa que estiver considerando. Empresas com altos quocientes de valor tendem a apresentar um desempenho no mercado de ações melhor do que empresas com baixos quocientes de valor.

Hersh Cohen
Diretor de investimentos, Citigroup Asset Management

Eu entrei no negócio em 1969. Para mim foi fácil ser um "baixista" – um investidor que espera que os preços tendam a baixar –, porque o final da década de 1960 testemunhou uma furiosa especulação em ações de mérito questionável ou contabilidade criativa. A Guerra do Vietnã estava no auge, o Banco Central dos Estados Unidos apertava o crédito e as bolsas de valores estavam lidando com uma crise de burocracia.

O que eu não sabia era como ser um "altista" – investidor que acredita que os preços tendem a subir. No verão de 1974, eu jogava tênis com Larry Fertig, um homem pelo menos quarenta anos mais velho do que eu. Ele tinha sido um colunista financeiro dos jornais da Scripps Howard e testemunhara a evolução de vários tipos de mercado – investindo com sucesso neles. Larry costumava me trazer gráficos de ações que haviam sofrido grandes quedas mas apresentavam longos períodos de queda menos abrupta, ou até de estabilidade. Falava sobre as pechinchas que estava comprando, era muito "altista", no que se refere ao mercado. Enquanto isso, a cidade de Nova York passava por problemas, o país estava exaurido pela guerra, os preços do petróleo tinham decolado, a inflação e as taxas de juros explodiram.

Eu disse: "Larry, como você consegue ter tanta esperança? Há muita coisa negativa acontecendo. Temos muitos motivos para preocupação".

Ele me olhou e respondeu: "Hersh, eu invisto desde antes da Grande Depressão. *Sempre* há motivos para preocupação. A questão é *se o mercado* já se preocupou com isso".

Foi como se uma lâmpada se acendesse na minha cabeça. Aquelas simples palavras de experiência e sabedoria foram extremamente valiosas para me lembrar que devo me concentrar em quanto o mercado de ações já descontou, tanto para cima como para baixo.

P.S.: O índice Dow Jones estava em cerca de 600 na época.

JOHN E. CORE

Professor associado de contabilidade,
Wharton School of Business

Quando comecei a investir, em 1990, um amigo me deu um excelente conselho: "Leia o livro de Peter Lynch, *One up on Wall Street*". Lynch explica como ganhou retornos como os de Warren Buffett quando criou e desenvolveu a Fidelity's Magellan Fund. Se você ler esse livro acessível e interessante, aprenderá muito sobre investimentos.

Mas, além disso, lhe darei mais três dos melhores conselhos que já recebi. Selecionei-os com base no que aprendi como investidor, nos últimos quinze anos, no que aprendi nas minhas carreiras, em bancos de investimentos e consultoria, e como professor de contabilidade na Wharton.

Primeiro, diversifique sua carteira e minimize impostos e custos de negociação. Esse famoso conselho para criar fortunas é, sem dúvida, correto e tem o embasamento de mais de quarenta anos de pesquisas financeiras. Para diversificar, eu invisto toda a minha carteira em vários títulos e fundos de índice de ações. Para minimizar os impostos e os custos de negociação (bem como as discussões), invisto com prestadores de serviços de alta qualidade, baixo custo e líderes no setor: Vanguard, Charles Schwab e Barclay's iShares. Bons prestadores de serviços como esses deixam você e seu dinheiro em paz.

Em segundo lugar, conheça suas metas de investimentos e escolha seus ativos para atingir suas metas. Se você é como a maioria das pessoas, está economizando para a aposentadoria e espera se aposentar nos próximos dez ou vinte anos. Você tem algum dinheiro guardado, para o caso de ficar doente ou ser demitido. Eu o encorajo a fazer o que faço: coloque uma quantia razoável desse dinheiro, reservado para as épocas de vacas magras, no fundo equivalente em seu Estado ao Vanguard Pennsylvania Tax-Exempt Money Market – reservado aos residentes do Estado da Pennsylvania, cuja renda é isenta de impostos estaduais e federais e mantém um valor do ativo líquido de 1 dólar por ação. Invista o resto das suas economias em alguns fundos de índice de ações, no Vanguard ou comprando iShares. Essa é uma estratégia segura, na qual você tem poucas probabilidades de errar. O mais importante é que ela lhe dará retornos muito bons em um período de dez anos. Se, por outro lado, você já estiver aposentado ou guardando um dinheiro do qual precisará logo, deve investir muito mais em títulos e menos em índices de ações.

Em terceiro lugar, invista com regularidade e evite tentar descobrir o momento oportuno do mercado. Em média, o mercado de ações sobe 10% ao ano. Mas, se houver um retorno de 50% em cinco anos, quase todo o retorno do período poderá ocorrer em um ano. Ao segurar o dinheiro, esperando comprar as ações a um preço mais baixo depois, você estará tentando descobrir o tempo certo do mercado. Assim deixará de ganhar os altos retornos quando ocorrerem e, portanto, perderá dinheiro. Se você investir regularmente, não sofrerá como eu sofri entre 1995 e 1999, quando tentei descobrir o momento certo do mercado e me vi com dinheiro vivo nas mãos durante um dos maiores mercados em alta da história.

A esse amplo conselho geral, acrescento três conselhos específicos, dois dos quais gostaria de ter seguido com mais freqüência:

"Economize o máximo que puder e seus investimentos terão um desempenho melhor". Erros de investimentos podem ocorrer quando a pessoa tem poucas economias e, em conseqüência, tenta ganhar demais com seus investimentos. Por exemplo, uma pessoa tem investimentos que espera valerem 500 mil dólares no momento da aposentadoria (supondo um retorno médio de 10%). Mas o custo esperado de aposentadoria dessa pessoa é de 1 milhão de dólares. Diante de um déficit de 500 mil dólares, ela se torna agressiva demais ou cautelosa demais. Se você não estiver economizando o suficiente, terá problemas para financiar sua aposentadoria. Por outro lado, se tiver boas economias, pode considerar os retornos de seus investimentos como "dinheiro fácil". Você terá reservas mais do que adequadas e se aposentará bem, mesmo se seus investimentos não tiverem um desempenho tão bom. Porém, se seus investimentos tiverem um desempenho excelente, você poderá se aposentar mais cedo, melhor e ainda ter algum dinheiro extra.

"Não escolha ações, a não ser que as esteja acompanhando regularmente." Caso compre ações individuais, dedique dez horas por semana para acompanhar essas ações e o mercado em geral. Se não fizer esse acompanhamento, você terá um desempenho muito pior do que se comprar fundos de índice. Lembre-se de que, para ganhar dinheiro, você precisa estar certo duas vezes: precisa começar com uma boa compra e terminar com uma boa venda. Eu comprei ações da Kmart em 1990 por 13 dólares, esperando que o preço das ações decolasse quando a empresa se reorganizasse. As ações subiram acima de 17 dólares quando a reorganização foi anunciada. Mas eu me distraí, negligenciei a venda e transformei um ganho fácil de 20% em uma perda de 40%.

"Resista à tentação de vender ações a descoberto." Uma vez que você comece a acompanhar as ações, verá algumas que achará que estão supervalorizadas e será tentado a vendê-las a descoberto (isto é, apostar que o preço da ação cairá com o tempo). Mas, quando você vende a descoberto, está lutando contra os 10% de aumento médio anual no mercado. E os corretores costumam cobrar juros de 5% sobre as ações emprestadas. Assim, se o preço da ação não mudar, você terá um desempenho 15% mais baixo que o do mercado. Negociar a descoberto pode ser assustador e doloroso. Em agosto de

1999, eu tinha certeza de que a Nasdaq estava supervalorizada. Vendi a descoberto a 2.750 dólares. A Nasdaq então decolou 80%, para 5.000 dólares, e eu perdi 50% da minha carteira. Se tivesse comprado a Nasdaq e não negociado a descoberto, teria tido um desempenho melhor em 130%, uma porcentagem altíssima.

Para ilustrar meus conselhos, contei algumas histórias tristes sobre meus próprios fracassos em investimentos. As histórias do meu sucesso são menos emocionantes, mas mais freqüentes. Todas as vezes em que tive sucesso, foi por ter seguido os seguintes conselhos:

1. Quanto mais você poupar, melhores serão seus investimentos.

2. Não escolha ações, a não ser que esteja acompanhando-as regularmente.

3. Resista à tentação de vender ações a descoberto.

4. Conheça suas metas de investimentos e escolha seus ativos para atingi-las.

5. Invista periodicamente e evite tentar descobrir o tempo certo do mercado.

6. Diversifique e minimize impostos e custos de negociação.

7. Leia o livro de Peter Lynch, *One up on Wall Street*.

JAMES J. CRAMER

Apresentador do *Mad Money*, da CNBC;
comentarista de mercados, thestreet.com

O melhor conselho sobre investimentos que já recebi foi de meu pai, Ken Cramer, que me contou que tudo o que importa é o estoque. Se você tiver estoque demais, terá problemas; se tiver de menos, também. Se tiver de pagar demais para manter o estoque, você vai se machucar; e, se tiver o estoque errado, vai se queimar.

Meu pai, é claro, não está no negócio de ações. Ele está no negócio de caixas e sacolas, o fornecimento aos varejistas de material de empacotamento para os produtos.

Mas isso não importa. Como um administrador de fundos *hedge*, penso constantemente no que meu pai me ensinou. Eu olhei para as minhas ações como se fossem estoque e percebi que, em grandes vendas (ou liquidações de estoque), se estiver com estoque demais, você será aniquilado. Se o mercado cair de repente e você estiver enxuto demais, não conseguirá se segurar. Então, todo dia eu fazia um balanço do meu estoque para me certificar de que conseguiria lidar com as negociações do dia seguinte.

Eu também entendi os perigos do crédito. Investidores, incluindo os de fundos *hedge*, se apaixonam tanto pelo crédito, ou pelas margens, que fazem coisas sem nexo. Meu pai morria de medo de reduzir demais seu estoque por meio de crédito e queria que isso fosse transferido para mim. Eu soube ser econômico quando as coisas estavam bem e nunca andei por aí com estoque demais, como muitos administradores fazem hoje em dia.

Eu sei que meu pai nunca pretendeu me transformar em um grande administrador financeiro. Ele só estava tentando dar o melhor de si na International Packaging Products, vendendo papel de presente, caixas de papel e sacolas plásticas. Mas as lições foram aprendidas e sou eternamente grato a ele.

MICHAEL CRITELLI
Presidente do conselho e CEO, Pitney Bowes, Inc.

Eu não consigo me lembrar de uma única fonte do melhor conselho sobre investimentos que já recebi, mas a combinação de todos eles seria algo assim:

"Se alguém lhe prometer um alto retorno sobre um investimento, a baixo risco, em um período longo, não faça o investimento". A única fonte que articulou bem esse conselho seria a reportagem de capa da revista *Fortune*, cerca de cinco anos atrás, intitulada "O mito dos 15%". Nesse artigo, os autores afirmavam que poucas, ou nenhuma, das grandes ou médias empresas sustentavam um crescimento de 15% nos lucros por um longo período. A taxa de crescimento, em algum momento, é reduzida porque a empresa cresce demais para sustentar o crescimento acelerado, passa progressivamente para investimentos de alto risco e, então, comete um grande erro, ou as condições dos negócios mudam, o que elimina as fontes de crescimento. Um conselho relacionado a isso que recebi de meu pai é o seguinte: "Se alguém lhe disser que você 'não tem como perder' em um investimento, o risco de perder com ele é maior".

Infelizmente, ignorei esses conselhos em 1986 e 1987, quando achava que ninguém perderia dinheiro com bens imobiliários na cidade de Nova York. Minha esposa e eu investimos em dois negócios de cooperativas habitacionais, "sem erro", e perdemos todo o nosso investimento devido a mudanças no sistema de impostos e nos estatutos e diretrizes de construção da cidade de Nova York. Felizmente, depois disso, segui o conselho e evitei perder dinheiro nas empresas ponto.com, porque não acreditei que os altos retornos projetados sobre os investimentos fossem sustentáveis ou viáveis.

DAVID DARST

Diretor de sstratégia de investimentos,
Morgan Stanley Global Wealth Management Group

Paul Cabot geriu o fundo de doações da Harvard por mais de uma década. Ele dizia: "Primeiro, você precisa ir atrás dos fatos. Depois que os tiver, precisa encará-los". Hoje em dia, conseguir os fatos está mais fácil do que nunca. Na verdade, temos uma sobrecarga de dados, e separar o joio do trigo é um desafio. Encarar os fatos significa distanciar-se e analisá-los com sabedoria. Sob fortes protestos de seus colegas, que achavam que o país entraria em outra depressão, Cabot alterou radicalmente a alocação de ativos da Harvard: de todas as apólices, títulos e valores mobiliários de renda fixa, com rendimentos muito baixos, para investimentos em ações. Esse movimento revolucionário alavancou substancialmente os fundos da Harvard devido aos acontecimentos posteriores na economia.

Quando assumiu os fundos de doação da Harvard em 1948, eles constituíam cerca de metade dos fundos em comparação com a Yale. Quando se aposentou, eles constituíam o dobro. Por quê? Porque ele encarava os fatos. As pessoas acreditavam que os soldados voltariam da guerra exaustos e passariam o tempo sentados no jardim lendo a *Bíblia*. Não se esperava que eles voltassem como diligentes contribuintes da economia norte-americana. Mas foi exatamente o que fizeram. Eles voltaram, constituíram famílias, construíram casas nos subúrbios, fizeram estradas e mobiliaram suas casas. Cabot tinha convicção. Ele possuía uma disposição para assumir riscos e para investir no produto potencial da economia pós-guerra.

Assumir riscos é a chave para uma estratégia de investimentos bem-sucedida, mas é necessário assumir riscos prudentes. Compare sua renda com seus gastos. De quanto você precisa para viver? Relacione isso à sua carteira, ao risco que está disposto a correr, e avalie tudo isso sob a luz do ambiente de mercado atual. Apesar de nos termos dado bem na grande fartura da década de 1990, estaremos em um mundo de baixo retorno nos próximos anos. Olhe para o futuro – quais serão os setores que mais crescerão? Estude a demografia. Os Estados Unidos verão um grande crescimento populacional nos próximos 45 anos – maior até que o da China. O mercado hispânico nos Estados Unidos estará em alta. Pesquise essa área e encontre ações que se beneficiarão dessa mudança populacional.

As pessoas precisam analisar sua carteira com mais freqüência. É importante visitar o escritório de seu prestador de serviços financeiros. Converse com o seu corretor e faça disso um hábito, como em um *check up* físico anual com o seu médico. Considere isso um *check up* para a sua carteira. Outra coisa que as pessoas precisam é de um "tio Milton", alguém sábio, que o conheça, que saiba das suas tendências, de seus erros e não tenha medo de apontá-los a você. O seu tio Milton deve ser financeiramente experiente e sofisticado, mas não precisa ser do ramo de investimentos. Trocar idéias com outra pessoa tem um valor inestimável. Warren Buffett disse repetidas vezes que não seria quem é sem Charlie Munger. Todos nós precisamos de alguém que nos diga se nossas idéias são boas ou não.

Se você tiver filhos pequenos, pense agora em como pagará a faculdade. A maioria das pessoas economiza como loucas – elas economizam para comprar uma casa e então a pagam. Economizam para a faculdade e gastam tudo nas mensalidades. Quando os filhos vão para a faculdade, os pais precisam começar a poupar para a aposentadoria e a maior parte de suas economias se esgotou. Analise as opções de financiamento para pagar a faculdade, ajuda do governo, mandar seu filho para um emprego de meio período. Não coma o seu último ovo na metade da vida.

Investir é questão de bom senso. As pessoas acham que demanda cérebro e intelecto, mas, na verdade, é só uma questão de sólida capacidade de julgamento e bom senso. Não tenha medo de investir – a maioria das pessoas tem muito mais bom senso do que coragem de admitir. Preste atenção ao que acontece ao seu redor, identifique as novas tendências, troque idéias com o tio Milton e você ficará bem. Não se esqueça de exercitar a paciência: todos nós tendemos a ser imediatistas – queremos os resultados agora. É assim que os erros são cometidos. Todos os ícones dos investimentos começam aos poucos e com flexibilidade. Eles só se convencem quando começam a ver que as coisas estão bem. Conforme disse George Soros, "não se trata de quantas vezes você está certo ou errado. Eu estou errado nove entre dez vezes. Foi o que fiz como conseqüência de estar certo que construiu minha fortuna". Saber como ir com calma e como correr para obter vantagens é o que fará toda a diferença.

BOB DOLL
Presidente e diretor de investimentos,
Merrill Lynch Investment Managers

Lá no começo, antes de eu ter noção do que estava fazendo, já me expunha no mercado de opções. Comecei a brincar no mercado quando estava na faculdade e tive um pouco de sorte com uma quantia muito modesta de dinheiro. No mercado de opções, cometem-se muitos erros porque as coisas vão e vêm muito rapidamente. O conselho que recebi foi "compre boas empresas". Se você se ativer a boas empresas, mesmo se seu ponto de entrada não for tão bom, com o tempo escapará da situação, porque boas empresas, mais cedo ou mais tarde, geram bons resultados.

Um dos conselhos que dou em seminários é muito simples, mas eficaz. Compre baixo, venda alto. Todos conhecem essa máxima, mas é mais fácil falar do que fazer. Na verdade, poucas pessoas o fazem, pois isso se relaciona à questão da disciplina *versus* emoção. Sabemos que baixas no mercado acontecem quando se tem a maioria dos vendedores e altas ocorrem quando se tem a maioria dos compradores e poucos vendedores. Por definição, a pessoa média compra alto e vende baixo porque é aí que as multidões se juntam, é isso que causa o pânico no mercado – os mercados no fundo do poço e os mercados que decolam aos céus. Ela deveria comprar baixo e vender alto, mas acaba fazendo exatamente o oposto. O que provoca isso e o que impede as pessoas de fazer "a coisa certa"?

A resposta é que elas se esquecem da disciplina e se deixam dominar pelas emoções. Há um frenesi quando uma ação está subindo, e a tendência é pensar: "É melhor eu pegar o trem antes que eu não consiga mais entrar". O medo de perder o trem é o que faz com que as pessoas comprem tão alto.

Por outro lado, quando as ações individuais estão em queda, a tentação é pensar: "Amanhã a ação cairá um pouco mais, então vou esperar para comprar". Quanto tempo você vai esperar? Até que a ação dê uma virada e comece a subir de novo? As emoções de medo e ambição precisam ser controladas e substituídas pela disciplina. Essa abordagem deve abranger toda a sua carteira. Considere, por exemplo, a alocação de ativos. Você tem duas classes de ativos: ações e dinheiro vivo. Quando suas ações sobem e você tem uma meta de *mix* de ativos, as ações fazem uma porcentagem de sua carteira crescer, desequilibrando o *mix*. Usando sua disciplina, você é forçado a se reequilibrar e tirar algum dinheiro da banca. Da mesma forma, quando as ações caem, encolhem uma porcentagem de seu total. Apesar de ser muito difícil comprá-las quando estão caindo, você está seguindo sua meta de distribuição de ativos, por isso é forçado a comprar um pouco.

Uma extensão disso é a questão do sucesso e do fracasso nos mercados de investimentos. Claro que não há garantias, mas, pelo que observo com os vários administradores de investimentos na Merrill Lynch e outras empresas com as quais trabalhei, os bem-sucedidos tendem a ter uma disciplina, um processo, uma filosofia aos quais se atêm ao longo do tempo. Alguma coisa que faz sentido e que resulta em mais sucessos do que fracassos. Aqueles que não são bem-sucedidos não possuem essa filosofia. Em vez disso, estão sempre correndo atrás do modismo mais recente, seja uma empresa individual, seja uma metodologia específica de investimentos, que parece estar funcionando em um determinado momento. As pessoas menos bem-sucedidas entram nesses barcos, mas quando o jogo já está muito adiantado.

Ouça o mercado. O mercado lhe dá informações. Por exemplo, você acha que conhece a empresa XYZ melhor do que ninguém e tem certeza de que ela vai ganhar muito dinheiro; então, você compra algumas ações dessa empresa. No dia seguinte, as ações caem; então, você compra um pouco mais. No dia seguinte, a mesma coisa acontece. E por aí afora. Mais cedo ou mais tarde você precisa se perguntar: "Será que estou deixando de ver alguma coisa?". O mercado é mais esperto do que qualquer um de nós; por isso, ouvir o mercado é uma importante habilidade, necessária para ganhar com o passar do tempo.

Lembre-se de que investir é uma ciência e uma arte. A ciência é a disciplina, a arte é a capacidade de julgamento, a experiência e a disposição de ouvir o mercado com atenção.

É importante ter um objetivo em mente. Por exemplo, você quer guardar dinheiro para a aposentadoria. Antes de mais nada, dê o primeiro passo. A mágica dos juros compostos é que você pode ter muito mais no futuro se começar quando estiver com 30 anos do que se esperar até ter 35 ou 40 anos de idade. Em segundo lugar, se você já deu o primeiro passo e não tem certeza de que conseguirá chegar lá, invista um pouco mais. Em terceiro lugar, faça investimentos mais inteligentes. Quais são as suas metas, em quanto tempo e quais são as classes de ativos que têm mais chances de realizar isso? Se você estiver economizando para a aposentadoria, que ocorrerá daqui a vinte anos, e tem dinheiro vivo na mão, isso não é muito inteligente, porque ativos de prazo mais longo, ativos mais arriscados, como ações e títulos, apresentam uma taxa de retorno maior, em um período de vinte anos, do que o dinheiro vivo.

DAVID FEFFER

Presidente do conselho de administração
da Suzano Holding

O antigo ditado "Se conselho fosse bom, não se dava: vendia-se" deve ter sido criado por alguém que se sentia superior a tudo e a todos. Não há quem não precise de um conselho, de uma dica, de uma orientação. Assim como não existe pessoa que não goste de se sentir útil ao contribuir para o esclarecimento ou o sucesso de alguém. Ao longo da vida, cada um de nós deve investir em si, procurando, como conseqüência, contribuir para o sucesso de outras pessoas. Mas há dois tipos básicos de investimentos: os espertos – que exigem pouca ou nenhuma base e que estão diretamente atrelados à diversão – e os inteligentes, que são conseqüência de estudos aprofundados, de fundamentação e pesquisa, que geram valor hoje e amanhã. Então, aqui vai o conselho que aprendi e que carrego comigo até hoje: aplique seu tempo e seus recursos em investimentos inteligentes.

Com certeza, existem investimentos diferentes para cada tipo de pessoa, seja em função dos momentos particulares da vida, seja pela dose de risco que cada um está disposto a correr. Mas sempre devem ser feitos com critério, sem precipitação, e nunca no calor de fortes situações. Se você estiver num momento de euforia, pode negligenciar alguns passos e tomar decisões não adequadas. Se estiver muito frustrado com algo que aconteceu (ou não), pode deixar passar uma boa oportunidade. O melhor, portanto, é decidir-se por tais investimentos em períodos não extremados, e valendo-se das melhores informações que puderem ser coletadas.

Com meu avô, Leon Feffer, compreendi que investimentos inteligentes são aqueles que miram o longo prazo, com os quais não tememos fazer movimentos mais bruscos, caso haja dados suficientes que justifiquem a mudança de rumo. No fim da década de 1930, depois de alguns anos de Brasil, Leon já havia conseguido estruturar um bom negócio envolvendo a comercialização de papéis e de envelopes. Naquela época, como o Brasil não produzia papel e o risco da Segunda Guerra podia comprometer seu empreendimento, meu avô, depois de muitos estudos e conversas, decidiu vender tudo o que havia conquistado e investir em uma fábrica de papel, movimento que marcou definitivamente o Grupo Suzano.

Com uma linha de produção de papéis em operação, e já bem-sucedida, meu avô resolveu "convocar" meu pai para trabalhar na empresa. Foi assim que Max Feffer percebeu que era fundamental identificar uma nova matéria-prima para a produção de celulose, de modo que não houvesse mais a dependência dos mercados externos para seu fornecimento. Assim, no fim da década de 1950, juntamente com técnicos e professores da Universidade de Gainsville, na Flórida, meu pai passou a coordenar experimentos para identificar variedades vegetais existentes no Brasil que pudessem produzir celulose de qualidade. Depois de algum tempo, ele identificou no eucalipto a nova matéria-prima que viria a revolucionar a produção de papel e de papel-cartão no mundo, fazendo com que o Brasil se tornasse líder mundial em celulose de fibra curta.

Aqui estão dois exemplos de investimentos inteligentes. São focados no longo prazo, baseados em estudos e pesquisas, visam a geração de valor. O resto é sucesso.

STEVE FORBES

Presidente e CEO, Forbes, Inc.;
editor-chefe da revista *Forbes*

Minha filosofia básica é: se você quiser ficar rico, abra seu próprio negócio. Se investir, não caia na conversa de ninguém e atenha-se a investimentos disciplinados e de longo prazo. Todo mundo é um investidor disciplinado e de longo prazo até o mercado cair.

Em investimentos, é necessário diversificar – não tente ganhar na loteria. Décadas atrás, conheci um maravilhoso administrador financeiro que disse que é necessário investir como se joga tênis. *A não ser que você seja um profissional, simplesmente tente fazer com que a bola passe para o outro lado da rede.* Em investimentos, só tente fazer com que a bola passe para o outro lado da rede e deixe que os juros compostos façam o resto.

Qualquer pessoa se amedronta em território desconhecido, ainda mais sabendo que até os profissionais caem feio, de tempos em tempos. Se você não tem tempo para fazer seus próprios investimentos, para aprender a analisar um balanço patrimonial e se informar sobre o valor acionário, então deve ter alguém cuidando do dinheiro para você, por meio de fundos mútuos. Escolha um serviço que cobre baixos honorários, como a Vanguard ou a Fidelity. Coloque uma determinada quantia por mês e não se preocupe todo dia com isso.

As pessoas devem ter em mente duas coisas sobre o mercado de ações, já que as emoções são tão fortes nessa área: se você se sentir bem, não faça; e, se você se sentir mal, faça.

Em um mercado em baixa, a frase é: *caindo pela ladeira da esperança*. Na década de 1990, tivemos um longo mercado em alta. As pessoas acharam que aquela era a norma e que o valor acionário continuaria subindo 50% ao ano. Em 2000, tivemos um grande golpe no mercado de ações e as pessoas se perguntavam: "Quanto tempo isso vai durar? Quando a situação vai virar?". Então, tivemos uma recuperação do mercado em baixa e elas pensaram: "Que bom, as coisas voltaram ao normal". Mas houve outro golpe e outra recuperação, seguido de mais um, e as pessoas pensaram: "Oh, Deus, permita-me sair com o que eu entrei e prometo que nunca mais farei isso". É nesse momento, se tiver algum dinheiro sobrando, que você deve entrar.

Em um mercado em alta, a frase é: *escalando os muros da preocupação*. Todos sabem o que pode dar errado, então, se você souber, o mercado também sabe. Assim, quando se analisa a história dos mercados em alta, otimistas, há longos períodos nos quais as pessoas se perguntam se a crise é real e se os problemas são reais. Por exemplo, em 1997, o mercado recebeu um grande golpe devido à crise asiática e, em 1998, o colapso da Rússia esmagou o mercado. Assim, mesmo em mercados otimistas, sempre há sobressaltos. Em mercados otimistas, as altas podem ocorrer muito rapidamente e, então, o mercado se estabilizar por um tempo. Por isso, *escalar os muros da preocupação* é a frase adequada.

Eu tinha cerca de 10 anos de idade quando aprendi a interpretar uma tabela do mercado de ações. Meu pai fez um acordo comigo: ele me pagaria as comissões e eu compraria as ações no meu aniversário e no Natal. Uma das primeiras lições que aprendi foi descobrir o que realmente significa um dividendo. As primeiras ações que comprei eram da Philippine Long Distance Telephone Company. A empresa estava listada na bolsa de valores norte-americana com um dividendo muito bom. Mas o que eu, um menino de 10 anos, não sabia era que o governo filipino abocanhava uma grande parte daquilo na forma de retenção do imposto de renda na fonte. E as negociações eram baseadas na taxa de câmbio dólar/peso, o que pode fazer os dividendos desaparecerem rapidamente.

Também aprendi a nem sempre confiar nos especialistas. Você deve procurar uma segunda opinião, como no caso de um médico. Tentei acumular algumas ações da Polaroid, durante a minha adolescência. Eram ações em alta, de uma empresa de primeira linha, com desempenho extraordinário. Um dia, meu pai me disse que achava que a ascensão da Polaroid tinha chegado ao fim e que eu deveria vender as ações. Eu abri mão de dois terços delas e mantive um terço. Ele chegou em casa numa noite e disse: "Conversei com os nossos especialistas no escritório, o editor da revista, o CFO, o guru de investimentos, e todos me falaram de uma pechincha que estava subvalorizada; portanto, coloque o seu dinheiro nessas ações". As ações eram da Penn Central, doze semanas antes de falir. Então aprendi sobre compensação progressiva do prejuízo fiscal e mecanismos de economia fiscal, mas também aprendi que, em uma situação desastrosa como essa, é possível ganhar dinheiro com as cinzas. Alguns dos títulos mobiliários emitidos depois, durante a reestruturação pós-falência, tiveram um desempenho muito bom.

Infelizmente, o preço que se paga para aprender sobre os investimentos não é um valor que se salda de uma vez. Você aprende o tempo todo. É por isso que existe só um Warren Buffett. As pessoas se entregam às emoções, se empolgam quando ficam sabendo de alguém que ganhou muito dinheiro e pensam: "Eu sou mais esperto do que aquele idiota, eu também posso ficar rico". É por isso que a disciplina é tão importante: reserve uma determinada quantia por mês para fundos mútuos de baixo custo, diversifique-se e navegue nas ondas do mercado. Mas você precisa lembrar que investir é como pilotar uma motocicleta. Uma motocicleta é uma grande máquina, e, quando as pessoas aprendem a pilotá-la, acham que a dominaram; é exatamente quando os acidentes acontecem. Ao investir, você nunca deve achar que realmente conhece o mercado, porque, se fizer isso, ele vai dar um jeito de colocá-lo no seu lugar.

No que se refere aos investimentos para se precaver dos maus tempos – por exemplo, em caso de demissão, doença, acidentes de trabalho, aposentadoria –, você terá mais chances se recorrer a um plano de investimentos. Tais planos envolvem centenas de milhares de pessoas e abrangem vários fundos bem diversificados, seguros e sólidos que, com o tempo, dão um retorno muito melhor do que a previdência social, mesmo nos Estados Unidos. No começo da década de 1980, em Galveston, no Texas, vários distritos abandonaram a previdência social. Eles nem recorreram ao mercado de ações. Colocaram o dinheiro em instrumentos com juros fixos de seguradoras, títulos e certificados de depósito sólidos. Hoje essas pessoas estão ganhando entre 50 e 200% a mais em benefícios, quando se aposentam, do que ganhariam da previdência social. Não estou falando de profissionais de investimentos. Se você não quiser se expor no mercado de ações, ganhará mais tendo sua própria conta pessoal do que ganharia ficando no sistema atual.

O melhor conselho que posso lhe dar é não colocar seu dinheiro em um único investimento, em uma única empresa ou em um único setor. Diversifique-se bem. Em mercados em baixa, simplesmente continue manobrando, pois, enquanto o país estiver de pé, a sua árvore continuará de pé, com frutos cada vez maiores.

DEBBY FOWLES

Autora de *The Everything Personal Finance in Your 20s and 30s Book*; especialista em planejamento financeiro, about.com

Quando se trata de dinheiro, muitas pessoas simplesmente não sabem por onde começar. Encontrar o dinheiro para investir é o maior obstáculo para muita gente, a questão que traz mais dificuldades. Não há como começar a pensar em investir antes de concretizar esse primeiro passo. O melhor conselho que já recebi foi algo que tanto minha avó quanto minha mãe sempre me diziam: *"Economize os centavos e o dinheiro crescerá sozinho"*. Para mim, isso significa que não é necessário ter uma enorme quantia de dinheiro para investir de uma vez só.

É possível pensar em pequenas maneiras de poupar e pequenas maneiras de reduzir custos. As pessoas costumam me perguntar como cortar as despesas e como ter dinheiro para as coisas que elas realmente querem. Nós gastamos dinheiro sem perceber. Livre-se de hábitos como fumar, beber e tomar café fora de casa. Essas coisas parecem pouco, mas chegam a representar milhares de dólares em um ano, devorando o dinheiro que poderia ser investido em um fundo mútuo. Você não precisa abrir mão de todas as pequenas indulgências da vida, mas conscientize-se de seus gastos descontrolados, rastreie suas despesas, veja para onde seu dinheiro está indo e quanto poderia ser direcionado para os investimentos. As pessoas tendem a comprar a casa mais cara, o carro mais caro, as roupas mais caras e os últimos avanços tecnológicos, mas tudo isso representa dinheiro que poderia estar sendo investido. É necessário tomar uma decisão consciente em relação ao que realmente importa.

Você não precisa ser um guru financeiro para investir. As pessoas se intimidam com tudo o que acreditam que precisam saber, mas não deveriam. Se você se interessa em fazer as próprias pesquisas, veja sites como www.morningstar.com e informe-se sobre finanças. Mas, se não tiver tempo ou inclinação para fazer as pesquisas sozinho, aplique seu dinheiro em um fundo mútuo sem encargos ou taxas.

Gustavo H. B. Franco
Sócio-diretor da Rio Bravo Investimentos

O melhor conselho sobre investimentos que eu já recebi não era para mim.

Na verdade, nem era bem um conselho sobre investimentos, a menos que o "investimento" possa ser entendido mais amplamente, como algo que tenha a ver com a sua carreira.

Estava no ginásio e vi pelos jornais uma entrevista feita por estudantes como eu com o já consagrado e sempre polêmico Nelson Rodrigues. Vi, em seguida, os mesmos estudantes na televisão, o que apenas fez aumentar a minha inveja: adoraria estar fazendo aquela entrevista, tinha tido obrigação parecida semanas antes e não me ocorreu, ou fiquei com preguiça de procurar um grande nome da literatura para o meu projeto.

Tentei me convencer de que os grandes escritores, e outras grandes personalidades que valeria entrevistar, dificilmente estariam disponíveis para um projeto desses.

Não tinha ainda a malícia para pensar que as assessorias de imprensa "produzem" esses eventos, e que não existe o acaso nesses assuntos de mídia.

Na época, imaginei uma probabilidade, que fixei em meio por cento, de ser atendido por um medalhão que recebesse um macarrônico convite para uma entrevista estudantil. Teria de fazer duzentos chamados para conseguir alguém importante, nem sei se teria tantos nomes que valessem a pena.

Pensava nisso enquanto examinava as perguntas tolas feitas para o indefeso e arrependido Nelson Rodrigues. Mas não foi nessa ocasião que ele fez o célebre comentário sobre o conselho que daria aos jovens – que envelheçam!

Mas passei a acreditar firmemente que foi essa experiência traumática que o levou, posteriormente, a essa crença. Como acontece com a maior parte das pessoas, a melhor resposta para a situação constrangedora não lhe surgiu no momento, mas depois, quando pôde pensar calmamente sobre o acontecido.

Bem, mas não foi apenas o conselho para envelhecer que me impressionou nessa entrevista, que tinha tudo para ser esquecida. Nem a lição, também ótima, de que o melhor tiro não é necessariamente o que é dado à queima-roupa. O melhor veio ao fim da entrevista, quando Nelson Rodrigues já se mostrava contrariado por não conseguir responder nada diferente de platitudes, tal a pobreza das perguntas.

Esgotado o assunto, e indagados se tinham mais alguma dúvida, um dos meninos, fora do script, perguntou o que ele gostava de ler.

Sentindo-se já quase livre do tormento, Nelson respondeu que tinha enorme prazer em ler até os catálogos telefônicos.

E, diante da estupefação à sua volta, explicou que as pessoas são feitas das palavras que lêem nos livros, e, o que quer que quisessem da vida, tudo começava, e continuava, e florescia, e variava através da leitura.

– Lendo todos aqueles nomes – ele dizia –, eu podia me sentir como quem absorvia, pelos seus sobrenomes e endereços, todas as suas histórias e dramas, que podia embaralhar conforme me parecesse mais interessante.

E assim continuou:

– José Evangelino da Silva, por exemplo, homem de família, pastor luterano, residente na rua Dias da Cruz, deve ter muitos parentes de sobrenome "Silva", como esta Maria das Graças Alencar e Silva, também do Méier, quem sabe filha ilegítima de seu pai, produto de uma fraqueza, e que pode ter conhecido José, ao acaso, numa repartição pública, ao solicitar alguma vantagem talvez meritória mas indevida.

E diante da mistura de surpresa com indiferença perante um enredo já pelo meio, concluiu já se levantando:

– Vocês percebem, meninos, quanta vida existe na lista telefônica? Será que vocês entendem que não é necessário mais do que isso para que possam construir o roteiro de sua vida? Aprendam: nenhuma palavra escrita é inútil.

DR. BOB FROEHLICH
Diretor de estratégia de investimentos,
Deutsche Asset Management

Minha opinião sobre os investimentos sofreu uma mudança fundamental há vinte anos, quando eu estava em uma picape com James Walton, filho de Sam Walton. Na ocasião, eu participava de uma conferência de investidores em Bentonville, em Arkansas. Passeávamos pela região, conversando sobre investimentos, e ele disse: "Quer saber? A maioria das pessoas simplesmente não entende". "Não entende o quê?", eu perguntei.

Elas não entendem a relação fundamental entre uma empresa lucrativa e uma empresa com excelentes serviços. A maioria dos investidores não percebe essa correlação, apesar de ser o melhor indicador de uma empresa lucrativa. Em vez disso, estão ocupados demais analisando índices preço/lucro e balanços patrimoniais, mas, ao final do dia, se você puder encontrar as empresas e os setores que realmente se voltam para o serviço, é só ver o que acontece cinco ou seis anos depois. O melhor indicador é o bom serviço. É uma forma qualitativa de observar empresas e oportunidades de investimentos, diferente de todo o resto que as pessoas costumam analisar.

O MELHOR CONSELHO SOBRE INVESTIMENTOS QUE EU JÁ RECEBI

A partir daquele momento, comecei a analisar a fidelidade dos clientes, o tipo de negócios repetidos que a empresa fazia, a forma como treinava seu pessoal, a rotatividade de empregados, tentando extrair elementos quantitativos em relação a atendimento ao cliente e ambiente de relacionamentos com os clientes, porque isso significaria que eles teriam uma base de clientes mais fiéis.

Eu me considero um clássico investidor em valor. Antes de investir em qualquer coisa, levo em consideração alguns elementos. Primeiro, procuro uma empresa que tenha um baixo índice preço/lucro. Esse é o primeiro filtro que aplico sempre que invisto em alguma coisa. Eu não quero pagar demais por algo que não seja adequado ao mercado e estou sempre em busca de pechinchas.

Em segundo lugar, sou um investidor de dividendos e tenho seguido essa abordagem durante os últimos vinte anos. Dou noventa dias ao meu investimento e, a cada período, revejo os dados, já que quero que meus investimentos me retornem uma parte do que lucraram. Eu quero receber pelo menos parte disso a cada noventa dias, em termos de dividendos. Essa tem sido a pedra fundamental da forma como invisto: sempre procurando avaliações baratas e menos favorecidas no mercado e, então, escolhendo as que possuem fluxo de caixa suficiente para pagar um dividendo.

Acho que a maior razão pela qual as pessoas têm medo de investir, e acabam permanecendo na platéia, é que elas confundem investir com jogar na loteria. Muita gente estava correndo atrás do dinheiro, no fim da década de 1990, e os retornos no mercado se desequilibraram. Eu testemunhei clientes institucionais sofisticados inferindo: "Agora que a Nasdaq subiu 80%, posso me aposentar em três, e não em quinze anos". Todos se esqueceram das questões testadas e comprovadas da alocação de ativos. Eles se esqueceram da sabedoria de tirar uma parte do dinheiro da banca depois de ganhar lucros. Muitas pessoas ainda não estão prontas para retornar. É provável que não voltem até que a dor de estar fora do mercado fique insuportável. Quando o mercado está estável, as pessoas não acham que perderão alguma coisa se permanecerem na audiência. Mas, se você observar os acontecimentos de 2003 a 2005 de forma mais ampla, verá que perdeu ao ficar de fora. O problema é que queremos coisas demais e rápido demais. Assim, é difícil se distanciar e perceber que se trata de um processo, não de um bilhete de loteria, e que é necessário entrar no jogo de longo prazo.

BILL GROSS
Bilionário; fundador e diretor de investimentos, PIMCO

Os melhores conselhos sobre investimentos que já recebi estão emoldurados no meu escritório, ao lado das fotografias dos dois gênios financeiros que os escreveram. Eles vieram de duas autobiografias que li no começo de minha carreira. A primeira foi escrita por Bernard Baruch, o famoso investidor das décadas de 1920 e 1930, que, diz a lenda, vendeu todas as suas ações no topo e ganhou influência na administração do presidente Franklin Roosevelt, durante a Depressão, como consultor de economia. A segunda é de Jesse Livermore, um especulador da mesma época que, supostamente, ganhou 1 milhão de dólares em sete ocasiões e perdeu a mesma quantia, para acabar estourando os miolos em um banheiro de hotel. Que exemplo, não?

Baruch disse:

> Toda vez que os homens tentam fazer alguma coisa, eles parecem tender a fazer demais. Quando as esperanças estão em alta, sempre repito a mim mesmo: "Dois mais dois ainda é igual a quatro, e ninguém inventou uma maneira de ganhar sem fazer nada". Quando o cenário está imerso

em pessimismo, sempre me recordo de que "dois mais dois ainda é igual a quatro, e a humanidade não ficará eternamente para baixo".

A citação de Baruch é uma referência clássica a ir contra os seus impulsos quando a situação fica otimista demais ou pessimista demais. Descobri que o dinheiro se ganha a longo prazo, surfando nas ondas da multidão, em cerca de 75 a 80% das vezes. Afinal, a multidão é a força dominante em mercados otimistas e pessimistas. Quase sempre, ir contra ela é como ir a Las Vegas esperando vencer a banca! Na maioria das vezes, a multidão tem as probabilidades a seu favor, no mínimo pelo seu poder de compra e venda. Como Baruch salienta, entretanto, não é possível, o tempo todo, ganhar sem fazer nada. A habilidade de abandonar a onda da maioria – mesmo se um pouco mais cedo – é crítica para preservar o capital para o próximo mercado em alta. O mesmo se aplica ao ponto de entrada durante os períodos de pessimismo excessivo.

Como fazer isso? Livermore dá o conselho: "Um investidor precisa se proteger de várias coisas... mas principalmente de si mesmo".

O segredo de sair da onda da multidão e retornar a ela é se distanciar psicologicamente do que está acontecendo, ter esperanças quando houver medo e ter medo quando houver esperança demais. Acho que você só consegue fazer isso se conhecer a sua personalidade. Coloque-se no divã do psicanalista com o objetivo de analisar a si mesmo no contexto do mundo dos investimentos. Analise com objetividade seus pontos fracos: pergunte-se como você reage sob pressão, se é otimista ou pessimista, se gosta de correr riscos ou é conservador e assim por diante. Anote suas respostas e tente relacioná-las com padrões de comportamento existentes nos mercados. Então use esse conhecimento, mais a análise de Baruch da natureza humana, para ajudá-lo a surfar na onda do mercado e sair com segurança para se equilibrar.

Para terminar, uma outra citação de Baruch: "Venda assim que começar a perder o sono". Se você passa noites em claro preocupado com seus investimentos, entrou demais no mercado ou está correndo muitos riscos. Quando você conseguir dormir sem acordar no meio da noite, imaginando como a bolsa abrirá no dia seguinte, você estará com o volume certo de investimentos.

JIM HACKETT

Presidente e CEO, Anadarko Petroleum Corporation

O melhor "conselho" sobre investimentos que já recebi surgiu de uma experiência pessoal, quando eu tinha 23 anos de idade. Tive esse *insight* antes mesmo de saber muito sobre investimentos. Em 1978, quando estudava na Harvard Business School, analisei o então recente setor de TV a cabo e transmissão via satélite para um cliente. Depois de muitas pesquisas, o cliente decidiu não entrar nessa área em crescimento. Entretanto, investi todas as minhas economias, e as da minha esposa, nas ações que achava estar mais bem posicionadas para ganhar. Elas eram da Viacom. Depois de dois anos, nada tinha mudado. Então, tive de vender as ações para comprar nossa primeira casa. Logo em seguida, elas estavam valendo muito. A lição: nunca invista tudo em ações de uma única empresa, mesmo achando que sabe muito sobre ela, ainda mais se você não puder esperar um longo período nem perder o dinheiro. A teoria dos investimentos em carteiras faz muito mais sentido para o investidor médio.

Ela também se aplica a empresas, quando investem em projetos importantes. Se for possível, evite apostar em um único investimento que arrisque o futuro da empresa no caso de um período cíclico de maus negócios ou do fracasso de um projeto. O risco deve ser administrado de forma prudente, apesar de, no nosso mundo, estar diretamente relacionado à recompensa. Desde a minha primeira aventura no mundo dos investimentos, o gerenciamento de riscos se tornou uma parte cada vez mais essencial do sucesso, dadas as rápidas mudanças em tecnologia, processos, atitudes e informações.

Ao tomar grandes decisões, você quer que as melhores cabeças, comerciais e técnicas, em seu negócio avaliem os dois desvios-padrão (ou nível de 90% de confiança) dos resultados esperados, para cima e para baixo, dos elementos-chave de cada investimento. Esses elementos devem se resumir a cinco ou sete fatores críticos que determinam o sucesso ou o fracasso de um projeto. Em termos de probabilidade, o gerenciamento de riscos calcula o resultado médio e rastreia todas as decisões desses resultados estimados. Avaliações prévias de alocação de verbas levam a discussões, debates profissionais e melhorias nas idéias e nos métodos. Acrescente a esse processo um foco implacável para investir em um número estatisticamente vantajoso de projetos individuais (ou ações). Esses passos constituem o processo mágico que permite que as empresas bem-sucedidas assumam maiores riscos em projetos individuais enquanto reduzem o risco do empreendimento.

A maior parte do sucesso de um negócio pode ser atribuída à aplicação do melhor capital intelectual em um modelo disciplinado de gerenciamento de riscos, como sugere o processo acima; entretanto, eu acrescentaria mais um elemento a essa equação: o objeto do investimento precisa servir aos outros como um resultado do sucesso do investimento.

O melhor conselho que posso dar é que você invista em projetos com o intuito sincero de servir aos outros (empregados, investidores, clientes, comunidades). Assim, no final, evitará o excesso de confiança e a emoção, prevenindo fracassos espetaculares e ampliando as chances de um sucesso inteligente e humilde.

Frank Holmes

CEO e diretor de investimentos,
U.S. Global Investors, Inc.

Eu entrei no negócio de investimentos em 1978. Meu mentor em Toronto foi discípulo de Warren Buffett, que me apresentou à forma de Buffett pensar. O que aprendi com Buffett foi o que ele aprendeu com Benjamin Graham. Usando o raciocínio de Graham como uma plataforma básica, ele criou o próprio modelo, com o qual poderia pagar um índice preço/lucro mais alto se as barreiras à entrada fossem altas.

Comecei como analista de pesquisas e depois passei para finanças corporativas. Após isso, comprei uma empresa de fundos mútuos e administrei meu próprio capital, tornando-me, mais tarde, o diretor de investimentos. Ao longo de minha carreira, fui muito influenciado por algo que Vince Lombardi, um dos maiores técnicos do futebol americano, disse: "Você nunca conseguirá ter um jogo perfeito porque não tem como controlar os juízes nem o clima". Mas ele acrescentou: *"Você pode* ter uma prática perfeita". Lombardi costumava multar os jogadores se chegassem tarde para o treinamento, porque o item mais importante que ele podia controlar era o processo de prática. No que se refere a investir, o exercício consistente da disciplina entra em jogo o tempo todo.

Todos os grandes administradores financeiros são intelectualmente competitivos, da mesma forma que os atletas. Muitas pessoas acham que seus analistas financeiros são administradores financeiros, mas, na verdade, eles são apenas administradores burocráticos. São academicamente robustos, mas não são competitivos nem têm aquele impulso extra, aquele instinto para chegar ao topo. Warren Buffett joga *bridge*, e Bill Gates já organizou seus próprios Jogos Olímpicos. Esses caras são competitivos. Lendo livros e conversando com administradores financeiros bem-sucedidos, percebi que todos eles são impetuosamente competitivos. Esse é um fio condutor que se relaciona ao que Vince Lombardi disse. Percebi isso porque, pelo fato de o mercado ser tão aleatório, fui forçado a me concentrar em meu próprio processo e desenvolver a disciplina com os elementos que posso controlar.

Um outro grande conselho vem de Charlie Munger, o sócio de Warren Buffett. Ele acredita que você precisa trabalhar e pensar em uma matriz. Precisa ter conhecimentos fundamentais e tácitos, conhecer as pessoas e ser capaz de sintetizar esses diferentes elementos em um todo coerente. É necessário analisar as coisas de várias perspectivas. Veja como as formigas compartilham as informações: relacione isso a como os mercados compartilham as informações; veja como as abelhas formam colônias e compare isso ao modo como os mercados formam colônias. O diamante que apresenta o maior brilho tem 56 ângulos diferentes. Há uma famosa faculdade chamada St. John's College, onde os estudantes passam quatro anos aprendendo nada além dos clássicos aristotélicos. Observe os modelos diferentes de um ponto de vista aristotélico e de um ponto de vista cartesiano. Utilize diferentes processos de pensamento para rever as coisas, refletir sobre elas e reagir.

Reserve um dia da semana para analisar apenas as questões de uma maneira ampla, os elementos críticos que impulsionam a economia global. Não se preocupe com histórias sobre o mercado de ações. Pense nos setores do índice de ações da S&P segmentados em dez diferentes componentes; pense no que os impulsiona e classifique-os do melhor para o pior. Atualize essa lista toda semana, para a semana, o mês e o trimestre, e pergunte-se: "Por quê?". Há uma nova liderança? Essa liderança é sustentável? Historicamente, quais são os impulsionadores críticos? Nos outros quatro dias você deve se concentrar nas ações e desenvolver uma disciplina na qual compre somente ações de baixo índice preço/lucro ou de altos dividendos. Encontre seu nível de conforto e crie um modelo no qual você analise as ações com base em cinco filtros, o que o ajudará a permanecer focado e seletivo em suas escolhas. O gerenciamento do tempo é fundamental, apesar de ser um dos pontos mais fracos de muitos administradores financeiros. Ao decompor o processo do macro ao micro, de baixo para cima e de cima para baixo, você pode alocar seu tempo de pesquisa de forma mais eficaz. Então há o processo de integração, no qual você tenta encontrar excelentes ações que estão em setores subvalorizados em países em crescimento.

Outro fator importante é apreciar a lei da reversão à média. Mais cedo ou mais tarde, tudo reverte à sua média. Os mercados se movimentarão acima da média e abaixo da média. Por isso, tentar encontrar o melhor momento para entrar e sair do mercado é uma grande perda de tempo. Aprecie o valor da diversificação e reequilibre-se para pegar a reversão à média. Siga a teoria da alocação de ativos de Roger Gibson. Se você tiver 25% em títulos, 25% em ações internacionais, 25% em ações locais e 25% em recursos, precisa se reequilibrar todos os anos. Defina uma data anual para reavaliar seu balanço e manter-se nele. Nesse dia, avalie seu patrimônio líquido e veja onde você está em relação às suas metas.

De 1997 a 1999, o setor de pior desempenho foi o de recursos. Como o dólar estava forte e todos os recursos eram precificados em dólares, as *commodities* estavam em baixa. Ao mesmo tempo, os setores de tecnologia e mídia viviam plena explosão. Se tivesse se mantido nessa regra dos 25%, você seria forçado a vender seus fundos do setor de tecnologia, de melhor desempenho, e teria comprado ações em recursos. Entre 2000 e 2004, a posição dos recursos teria compensado todas as suas perdas nos fundos tecnológicos e você teria um lucro líquido positivo. Mas a maioria das pessoas não fez isso e, desde 1999, em geral, elas perderam dinheiro em suas carteiras de ações.

SUSAN IVEY

CEO e presidente, Reynolds American, Inc.

O fator determinante mais importante em sua estratégia de investimentos é desenvolver uma ampla compreensão de seu perfil de risco individual, seus requisitos e metas de longo prazo. Apesar de ser agradável ganhar enormes retornos sobre algum investimento altamente especulativo, você também deve estar preparado para perder muito.

Vale a pena ainda investigar contas fiduciárias para proteger a herança da família, mas deixe que seus filhos paguem os impostos! Eles não ganharam esse dinheiro para começar.

Uma carteira diversificada de ações, títulos de ações e títulos confiáveis pode fornecer retornos sólidos acima da inflação, sem riscos significativos.

Consulte profissionais, mas compreenda a estrutura de honorários e os planos de reinvestimento de dividendos e utilize veículos de investimentos que reconheçam os seus requisitos de fluxo de caixa para a aposentadoria.

Comece a poupar enquanto ainda é jovem e utilize um plano 401(k) – modalidade de plano de previdência privada nos Estados Unidos – e/ou participe do plano de pensão de sua empresa enquanto ainda está na faixa dos 30 anos de idade, e não aos 45 anos, quando é tarde demais para ajustar seu próprio plano de poupança.

GARY KAMINSKY
Diretor-geral, Neuberger Berman
Private Asset Management

As duas coisas mais importantes que tentamos levar em conta todos os dias são: o princípio e o poder dos juros compostos e o princípio de "manter seus vencedores e vender seus perdedores".

Em primeiro lugar, os investidores devem lembrar que o crescimento de longo prazo de 10% nos preços das ações é um resultado em parte da valorização do capital e em parte do retorno do capital por meio de dividendos e distribuições sendo reinvestidas. Sempre tentamos encontrar investimentos em negócios em crescimento que têm como filosofia distribuições crescentes e estáveis aos acionistas. Minha história preferida sobre juros compostos vem de um dos meus três filhos, Tommy. "Se alguém lhe oferecer mil dólares por dia por trinta dias ou um centavo por dia *duplicado* a cada dia, qual oferta você aceitará? A resposta é o centavo. Os mil dólares se transformarão em 30 mil dólares, enquanto o centavo se transformará em mais de 5 milhões de dólares no mesmo período!"

Em segundo lugar, a natureza humana nos impele a vender nossos investimentos de bom desempenho (porque tomamos uma boa decisão) e a manter os investimentos de médio ou baixo desempenho que não tiveram o valor reduzido. A maior lição de todas é *manter* os investimentos nos quais você acertou, continuando a desenvolver e administrar as empresas da forma certa, e *vender* aqueles com os quais você errou. Apesar de ser psicologicamente mais difícil fazer isso, você conseguirá manter e aumentar sua fortuna!

BRUCE KARATZ

Presidente do conselho e CEO, KB Home

É irônico que o melhor conselho de investimentos que eu já recebi se relacione com a compra de uma casa. Lembro-me de uma conversa que tive com meu avô, que foi meu mentor, logo depois de me formar em direito. Ele me disse que comprar uma casa era o investimento mais importante que uma pessoa ou família poderia fazer.

"Se você tiver os recursos para comprar uma casa, faça isso", ele disse. E prosseguiu me explicando que o aluguel é um custo sobre o qual você nunca tem controle. O valor de um financiamento é fixo e, mesmo se ele aumentar com a taxa da inflação, produzirá um bom retorno.

Alguns anos mais tarde, eu estava bem estabelecido no setor de construção de imóveis e desenvolvi uma paixão por realizar o Sonho Americano para os outros. Hoje, depois de mais de trinta anos no negócio, transmito o mesmo conselho aos clientes e às jovens famílias.

Como um líder nesse setor, compreendo a responsabilidade de proporcionar essas oportunidades de investimento às famílias. Entendo que se trata de um investimento inigualável, no qual as pessoas conseguem viver e apreciar. À medida que nossa economia e nossos empregos continuam a crescer, com o aumento populacional e da imigração, a necessidade de moradia, o desequilíbrio da oferta e da demanda e a valorização dos imóveis em geral também continuarão a crescer.

ROBERT KIYOSAKI

Investidor e autor do *best-seller* internacional
*Pai rico, pai pobre: o que os ricos ensinam
a seus filhos sobre dinheiro*

Quando eu tinha 9 anos de idade, meu pai rico começou a me ensinar a ser um investidor brincando com o jogo Banco Imobiliário. Nós jogávamos durante horas.

Quando eu voltava para casa para jantar, ia direto para o meu Banco Imobiliário e queria continuar a brincar. O meu pai verdadeiro, um professor de colégio, dizia: "Coloque esse jogo idiota de lado e vá fazer a sua lição de casa. Se não fizer a lição, não terá boas notas e não encontrará um bom emprego com benefícios".

Alguns dias mais tarde, eu ia ao escritório do meu pai rico. Ele montava o tabuleiro do Banco Imobiliário e me convidava para jogar. Ainda menino, eu ficava confuso com o fato de meu pai verdadeiro achar que o Banco Imobiliário era um jogo idiota, uma perda de tempo, e, por outro lado, meu pai rico, que era o pai do meu melhor amigo, achar que era um jogo importante para a minha educação financeira.

Finalmente, perguntei ao meu pai rico por que jogávamos tanto o Banco Imobiliário. Sorrindo, ele me colocou no carro com seu filho e nos levou a um pequeno bairro de cerca de trinta casas. Saindo do carro, ele disse: "Há cerca de dez anos, comprei este terreno a preço de banana. Todos os anos, construo três ou quatro casas nele e as alugo".

"Então, o que isso tem a ver com o Banco Imobiliário?", eu perguntei.

Meu pai rico riu quando percebeu que eu não tinha entendido a relação entre o terreno no qual estávamos e o jogo. Sorrindo, ele se virou para mim e disse: "A fórmula para a fortuna está no jogo do Banco Imobiliário. Você sabe qual é a fórmula?".

Ainda confuso, disse, constrangido: "Não. Qual é a fórmula para a fortuna?".

Rindo mais ainda, meu pai rico disse: "Quatro casinhas verdes se transformam em um hotel. Essa é a fórmula para a fortuna".

Ainda sem entender, eu estava quase chorando por me sentir tão burro. Parado no terreno e olhando para as casas, ainda não via a relação.

Seu filho, Mike, meu melhor amigo, disse gentilmente: "Estas casas são as casinhas verdes do jogo. É isso que meu pai está tentando mostrar. Um dia ele terá um grande hotel vermelho".

De repente, a relação entre o jogo do Banco Imobiliário e a vida do meu pai rico se esclareceu. Como se algo se acendesse na minha cabeça, percebi que meu pai pobre achava que era só um jogo infantil... enquanto meu pai rico estava jogando Banco Imobiliário na vida real.

Dez anos mais tarde, aos 19, voltei dos meus estudos em Nova York para as férias de inverno e fui ver o grande "hotel vermelho" do meu pai rico plantado no meio da praia de Waikiki. Em dez anos, vi meu pai rico passar de dono de um pequeno e obscuro negócio a um grande jogador no mercado turístico do Havaí. Jogar Banco Imobiliário na vida real fez dele um homem muito, muito rico.

Hoje, minha esposa, Kim, e eu jogamos Banco Imobiliário na vida real; não no Havaí, mas em Phoenix, no Arizona, o Estado que mais cresce nos Estados Unidos. Como o Banco Imobiliário nos ensina, começamos pequenos – com "casinhas verdes" – e hoje compramos grandes "prédios vermelhos" na rua mais cara de Phoenix, onde estão o hotel Ritz-Carlton, o Biltmore Fashion Park (um *shopping center* extremamente sofisticado) e os escritórios da maioria das instituições financeiras de Phoenix.

Meu conselho sobre investimentos não tem a ver com o mercado imobiliário nem com o Banco Imobiliário. Meu melhor conselho sobre investimentos foi o que recebi do meu pai rico: ter uma fórmula, um plano de investimentos, e seguir esse plano.

Veja, o mercado imobiliário não é para todo mundo... nem todos gostam de jogar Banco Imobiliário. No entanto, todos os que desejam ser investidores bem-sucedidos precisam de um plano e devem segui-lo.

Uma das razões pelas quais meu pai rico adorava a fórmula das "quatro casinhas verdes e um hotel vermelho" era por ser um plano que começava com pouco e crescia. Ele costumava dizer: "Todo plano deve incluir um período de treinamento. As quatro 'casinhas verdes' representaram o meu período de treinamento, uma chance de cometer pequenos erros e aprender com eles. O grande 'hotel vermelho' era o meu grande sonho... e todo plano deve vir acompanhado de um grande sonho". Para concluir essa lição, ele dizia: "Comece pequeno e sonhe grande". Foi assim que meu pai rico viveu sua vida, e esse é o melhor conselho sobre investimentos que já recebi.

A. G. Lafley

Presidente do conselho, presidente e CEO,
The Procter & Gamble Company

Eu sou um grande adepto da simplicidade, da transparência e do fundamental. Meu conselho a um investidor é procurar empresas que sejam bastante fáceis de entender e que se concentrem na liderança e no crescimento a longo prazo. Responda a algumas perguntas básicas antes de se decidir pelo investimento:

Elas conseguem explicar seu modelo de negócios ou estratégia em uma única frase?

Elas possuem metas e estratégias claras, que não mudam a cada ano?

Elas se mantêm próximas aos consumidores ou aos clientes a que servem?

Elas mantêm longos relacionamentos com os melhores parceiros de fornecimento e distribuição do setor?

Elas possuem um histórico de estabelecer o ritmo da inovação, a excelência da execução, da administração, de caixa e custos para o crescimento de longo prazo e entrega dos comprometimentos que têm com os investidores?

Elas desenvolvem líderes para o longo prazo?

São perguntas simples, mas poucas empresas fazem todas essas coisas ao longo do tempo. Concentre-se nesses fundamentos e você encontrará organizações merecedoras de consideração para investir seu dinheiro.

JOE LEE
Presidente do conselho, Darden Restaurants, Inc.

Duas pessoas me deram excelentes conselhos quando eu era ainda muito jovem. Uma foi meu pai e a outra, meu avô. Eles tinham mensagens similares. Meu pai me ensinou a importância de poupar cedo e com freqüência, o que se traduz em "investir" cedo e com freqüência. Comece logo, tenha um plano e siga-o. Meu avô me disse para me certificar de saber no que eu estava investindo meu dinheiro, "porque há muitas pessoas por aí que querem lhe vender qualquer coisa. Cabe a você se instruir sobre os investimentos potenciais, você precisa fazer a sua parte". Em momento algum esse conselho foi mais valioso do que nos dias de hoje.

Nossos sistemas escolares deveriam começar a ensinar os alunos a administrar seu dinheiro já no Ensino Fundamental. Mas as pessoas sabem muito pouco sobre o funcionamento do dinheiro e como desenvolver investimentos. Infelizmente, a maioria delas precisa aprender como eu: na escola dos grandes tropeços.

Comece a aplicar assim que puder e invista para o seu ciclo de vida. Algumas pessoas devem investir com mais especulação e outras com mais segurança e juros garantidos. Analise em que estágio da vida você está e invista de acordo. Seja um investidor de longo prazo. A menos que seja um *trader* profissional, não tente prever o melhor momento do mercado, você tem muito poucas chances de se dar bem. Vários estudos demonstraram que mesmo *traders* profissionais não se dão tão bem quanto os que investem em longo prazo. Quando analisar uma empresa, você deve se perguntar: "Essa empresa tem uma boa liderança? Ela fornece um produto ou serviço que seja muito desejado ou necessário para as pessoas? Ela possui um mercado de longo prazo?".

Se você encontrar uma empresa com uma boa liderança, invista logo. Não tente negociar a empresa além das suas possibilidades. As despesas de girar as ações diluirão os lucros no seu bolso. Mantenha os investimentos e entenda o setor. Não se limite a investir uma vez e pressupor que tudo vai dar certo. É necessário estar atento para perceber rapidamente, se algo acontecer com a empresa ou com o setor e você precisar vender as ações.

Você deve ter uma diversidade adequada em sua carteira, e essa diversificação vem mais cedo do que você espera. Se for cauteloso, investir em empresas de qualidade em cada setor e diversificar o número de setores nos quais investe, não precisará de muito mais do que doze ações para ter uma carteira bem dividida. Se investir em cem ações diferentes, terá empresas e setores demais e será impossível acompanhar todos eles de forma adequada, podendo deparar com problemas e deixar de perceber algo importante.

EDWARD J. LUDWIG

Presidente do conselho, presidente e CEO,
Becton, Dickinson and Company

O melhor conselho sobre investimentos que já recebi foi de Peter Lynch, o renomado administrador do Fidelity Magellan Fund, cujo vídeo usamos na Becton, Dickinson and Company para instruir nossos colaboradores. Ele disse: "Não invista em nada que você não compreenda". Isso também pode ser interpretado como: "Invista apenas nas coisas que você entende".

Outro bom conselho que recebi foi para investir e economizar, mesmo sendo pequenas quantias, mas a cada vez que receber seu salário. É fundamental começar jovem, bem cedo, e se comprometer com isso. Fazer qualquer coisa é mais inteligente do que não fazer nada.

Acabei combinando essas duas idéias e desenvolvi três principais tipos de investimento até agora:

Investi em ações da minha empresa.

Investi na educação dos meus filhos.

Investi em dois imóveis de qualidade, um para morar e outro para as férias.

Todos esses investimentos geraram excelentes retornos: nos aspectos financeiro, psicológico e de qualidade de vida. Atualmente estou diversificando e comprando títulos de renda fixa para equilibrar minha carteira.

HOWARD LUTNICK
CEO, Cantor Fitzgerald

Desde que perdi meus pais, quando era jovem, tornei-me o responsável pelo meu futuro financeiro. Quando era calouro no Haverford College, um amigo me levou para conversar com alguns conhecidos e obter conselhos sobre investimentos. Um deles era Bernie Cantor. Ele me deu um conselho seguro: "Não arrisque. Como você tem apenas 18 anos de idade, precisa do dinheiro para viver. Aplique seu dinheiro em títulos do Tesouro para não perder o principal. Uma regra fundamental dos investimentos é que sua perspectiva mudará de acordo com sua posição no ciclo da vida. Quando você estiver ganhando dinheiro e puder bancar as necessidades de sua família, o dinheiro adicional poderá ser alocado em investimentos mais arriscados. Mas, se não puder pagar seu aluguel nem tiver o estilo de vida que gostaria de ter, o dinheiro não deve ser colocado em risco. Ele precisa ser protegido para que você possa aproveitar o melhor da vida, de acordo com a sua situação".

Dicas sobre ações nunca são boas. Meu conselho é: nunca aceite uma dica sobre ações de alguém que não vai para o trabalho em uma limusine. Eu sou contra comprar ações individuais porque acho impossível ter informações suficientes para fazer isso com sucesso. A maioria das pessoas encara suas ações como se fosse um casamento. Elas compram cem ações de uma empresa e depois vêm lhe contar uma história como esta:

No passado, quando comprei essas ações, as coisas estavam indo muito bem. Eu paguei 10, elas subiram para 12 e depois 14 – a lua-de-mel foi ótima –, então ficou um pouco chato, mas me mantive com elas. Depois as coisas ficaram difíceis por um tempo. E agora elas estão a 6. Mas eu me casei com essas ações para o bem ou para o mal, até que a morte nos separe; então, estou agüentando firme.

Não encare suas ações como se fosse um casamento. Quando comprar uma ação, você só deve namorá-la, vendê-la quando acabar, mas nunca se casar com ela.

ROBERTO IRINEU MARINHO

Presidente da Globo Comunicação e Participações S.A.

Desde cedo escutei de meu pai que o talento é o recurso mais importante. Eu o vi, durante a vida, atrair, defender e estimular os talentos que trabalhavam conosco. E tenho certeza de que essa foi e tem sido uma das principais causas de nosso sucesso.

A história das nossas empresas começou com meu avô Irineu Marinho, que criou o jornal *O Globo*, em 1924, e faleceu um mês depois. Meu pai, Roberto, filho mais velho, então com 21 anos, recebeu de sua mãe a missão de liderar o nascente jornal, único bem da família.

A saída que ele encontrou definiu o sucesso do jornal e o início da adoção do princípio de se diferenciar pelo talento: entregou a direção do jornal ao melhor jornalista da época, Eurycles de Mattos, ficando em segundo plano até que efetivamente se sentisse em condições de liderar o negócio.

Desde então, sempre buscou ter os melhores profissionais no jornal *O Globo*. Nomes como Nelson Rodrigues, Carlos Drummond de Andrade, Otto Lara Resende, Evandro Carlos de Andrade, entre outros, passaram pela redação do jornal e deixaram sua marca de qualidade.

Quando meu pai criou a TV Globo, aos 60 anos, seguiu o mesmo princípio. Cercou-se dos melhores talentos da televisão e do mercado publicitário, como Walter Clark, Boni, Arce, Ives Alves e vários outros. Cinco anos depois, a TV Globo assumia a liderança em audiência no Brasil, que mantém até hoje, ampliando nossa participação ano após ano.

Eu me lembro também de que, nos anos difíceis do governo militar, meu pai muitas vezes foi pressionado para se ver livre de profissionais que incomodavam o regime. A frase que repetia ficou célebre nos corredores da Globo e marcou nossa postura: "General, dos meus comunistas cuido eu". E nunca mexeu em ninguém por motivos políticos, preservando o talento.

Cresci ouvindo e testemunhando esses fatos. E, na minha vida de executivo e gestor de empresas, sempre segui seu conselho: ter os melhores talentos, os melhores profissionais, aqueles que fazem a diferença.

Há poucos anos, vivi intensamente uma situação de crise que mostrou o acerto dessa prática. Por uma conjugação da situação econômica adversa, da forte desvalorização cambial e de nossa alta alavancagem, gerada por investimentos em projetos que demoravam a maturar, entramos numa crise de liquidez e fomos obrigados a suspender os pagamentos de dívida financeira. Iniciamos um penoso processo de renegociação com nossos credores. A pressão do momento levava à busca de uma solução imediata, e muitos dos conselhos que recebia eram para reduzir o quadro de nossos profissionais e sacrificar os talentos mais caros.

Fiz exatamente o contrário: mantive as pessoas e busquei os melhores consultores, aqui e lá fora, para nos ajudar a encontrar respostas. O resultado é que saímos da crise em pouco tempo e pagamos antecipadamente nossas dívidas. Nunca estivemos tão sólidos e prósperos.

Não encontro melhor conselho para quem conduz um negócio do que investir no talento: buscar atrair e manter os melhores profissionais e dar-lhes espaço para trabalhar.

KLAUS MARTINI

Diretor de investimentos globais,
Deutsche Bank Private Wealth Management

No fim da década de 1970, eu estava estudando em uma universidade de Munique e passava bastante tempo na bolsa de valores. Havia uma sala envidraçada, da qual os visitantes observavam o mundo dos investimentos. Era muito chato, mas às vezes era possível receber bons conselhos dos especuladores que lá estavam. Esses sujeitos tentavam obter informações de primeira mão, que geralmente acabavam como rumores. Naquela época, não havia a Reuters ou a Bloomberg, por isso os jornais eram a principal fonte de informações.

Durante a faculdade, comecei a investir em ações. Se estivesse perto o suficiente, eu conseguia escutar o que as pessoas falavam na bolsa. Mais rumores do que dicas úteis, mas, de qualquer forma, me ajudaram a financiar os meus estudos sem tantos sacrifícios. Era importante ouvir os rumores e ver como as pessoas reagiam a eles. Sempre fui um jogador que segue o fluxo dos acontecimentos. Não tentava identificar o valor real das ações; em vez disso, entrava na onda assim que possível. Quando se combina a pesquisa fundamental com os rumores, o mercado se torna impulsionado pelo fluxo e as emoções assumem um papel essencial.

Fui gerente de carteira por dezoito anos. Hoje em dia lido com clientes individuais e deparo com um mercado impulsionado pela emoção todos os dias. Trouxe muitas novas *commodities* para os nossos clientes individuais, mas leva tempo para explicar o valor das *commodities* e por que eles devem comprá-las. Gráficos e números não funcionam. Preciso explicar de uma forma que se relacione emocionalmente a eles. Por exemplo, para convencer as pessoas de que o ouro é uma ótima opção, tomei emprestada uma técnica visual de um ex-chefe. Eu pergunto aos meus clientes se seria possível preencher o primeiro arco da Torre Eiffel com todo o ouro do mundo. Não é possível chegar nem perto disso. O ouro é uma *commodity* finita e mal chegaria a atingir metade do primeiro arco. Essa história atinge meus clientes de uma forma que os gráficos e os números não conseguem. Ela traz o conceito do nível abstrato para um patamar que eles conseguem compreender.

O maior desafio nos investimentos é manter as emoções fora do jogo. Em meados da década de 1990, cometi um erro ao vender um investimento de 7% na Nokia. Sempre olho para trás e penso que as ações se movimentaram tão depressa que eu simplesmente deixei de ver. Mas você precisa ter em mente que não está sozinho no mercado. Há muitas pessoas que são impelidas pela emoção, e ela nem sempre é prejudicial. Ela pode exercer um importante papel na história das ações.

Quando se investe em ações, é importante conhecer sua história completa. Você não deve se livrar delas antes do fim. Se achar as ações interessantes, embarque na onda até que ela se quebre. Geralmente leva muito mais tempo do que você imagina para que todos compreendam a história, e ela acaba sendo muito mais carregada de emoções do que de pensamento racional.

A história da Wolford, uma empresa austríaca especializada em roupas, ilustra com perfeição a importância das emoções para o preço das ações. Fundada em 1949, ela abriu o capital em 1995. A meta da empresa era ser conhecida no varejo de alta qualidade. Eles lançaram uma grande campanha e publicaram um calendário anual que se tornou imensamente popular. Entetanto, a empresa abriu o capital e as ações caíram. Com isso, a Wolford se engajou em uma missão de relações públicas: eventos luxuosos de moda em Roma e relacionamentos de grande exposição com todas as grandes casas de alta-costura. Em pouco tempo, a empresa começou a desenvolver uma nova imagem e as ações começaram a subir. Cada vez mais pessoas estavam entrando na "história da Wolford", e as ações continuaram subindo. Ninguém imaginaria, mas foi o que aconteceu: o valor das ações ficou sete vezes maior em dois anos. Mas nada disso foi racional. Foi simplesmente um fluxo, impulsionado pelas emoções, impossível de ser parado (na época). Entretanto, vale notar que, hoje, as ações da empresa voltaram a ser negociadas pelo valor original, de 1995.

MACKEY J. MCDONALD

Presidente do conselho, presidente e CEO,
VF Corporation

O melhor conselho sobre investimentos que já recebi, e adotei, foi uma crença e um comprometimento em relação à minha própria empresa, a VF Corp. Isso se provou muito útil quando adquiri ações e as mantive, enquanto a empresa desenvolvia marcas de roupas e *jeans* com um grande apelo e criava sólidos relacionamentos com os clientes. Eu continuo adquirindo essas ações e vendo-as crescer em valor.

Desde 1983, quando comecei como assistente do vice-presidente na divisão de nossos *jeans* Lee, testemunhei, em primeira mão, a visão, a ética e o profissionalismo do pessoal da VF. Isso foi suficiente para me convencer do potencial de longo prazo das suas ações.

Há poucos desenvolvimentos de negócios mais satisfatórios do que criar uma visão para o crescimento e transformar a empresa para atingir esse crescimento. A VF evoluiu de um fabricante de roupas simples a uma empresa motivada por marcas de estilo de vida, que têm um apelo especial aos consumidores.

Durante esse período, nossas ações cresceram de menos de 30 dólares, em 1996, para mais de 60 dólares em 2005. Encontramos, sem dúvida, muitos desafios durante esse período, mas a visão da VF nos impulsionou para a frente.

É claro que, como um investidor experiente, encorajo a todos que diversifiquem suas carteiras, conduzam revisões anuais com um consultor profissional e façam ajustes importantes, de acordo com mudanças na idade, metas e tolerância ao risco.

ROGER MCNAMEE
Co-fundador e sócio-geral, Integral Capital Partners

Meu primeiro chefe costumava me dizer: "Roger, a primeira tarefa de qualquer investidor é conhecer a si mesmo". Além de questões básicas, como perfil de risco, você também precisa entender se é o tipo de pessoa que de fato se interessa em investir, alguém que fará as pesquisas por ser divertido e intelectualmente empolgante ou se é do tipo que adoraria ter retornos sobre os investimentos com o mínimo de esforço. Você também precisa saber como reage a certos tipos de informação. É necessário analisar, com sinceridade, seu perfil de risco, seu comprometimento e suas tendências emocionais.

O negócio de investimentos recompensa as pessoas que conseguem pensar com clareza e tomar decisões em momentos de mudança, quando o ambiente está obscuro. Se você for do tipo que se concentra no mais recente ponto de dados, tem menos chances de ser tão bem-sucedido quanto uma pessoa que consegue ver o último ponto de dados no contexto de um período de vários anos de informações. Conhecer a si mesmo é o elemento mais importante. Se você é daqueles que não precisam olhar as cotações das ações todos os dias, é importante saber disso. Caso adore pesquisar e passar um tempo no mercado, pode ser uma boa idéia tomar suas próprias decisões de investimentos. Por outro lado, se você deseja ter os retornos, mas sem gastar muito tempo com isso, ou se não consegue reagir friamente a mudanças, então, com certeza, deve encontrar alguém para administrar seu dinheiro.

Um segundo conselho importante é que você pode perder mais dinheiro em questão de minutos do que consegue ganhar em anos. A lição aqui é que evitar ações perdedoras é tão importante quanto encontrar as vencedoras. Quando o mercado se ajusta a uma má notícia, isso é feito de imediato, mas o ajuste a boas notícias tende a ser feito ao longo de um tempo, e você é recompensado pelas boas idéias e punido pelas más. Pela minha própria experiência, a busca por um retorno rápido costuma não ser produtiva. Isso porque as pessoas normalmente querem comprar ações que já subiram bastante e, por isso, tendem a investir com uma recompensa desfavorável ao risco.

Um terceiro conselho é que você deve encarar o longo prazo como uma série infinita de curtos prazos. Ninguém consegue ser bem-sucedido no longo prazo sem ser bem-sucedido, na maior parte do tempo, no curto prazo. Eu me surpreendo ao ver como as pessoas costumam justificar suas más decisões com a noção de que elas entraram nessa para o longo prazo. Meu primeiro sócio na Integral, John Powell, tinha uma linha de pensamento brilhante. Ele dizia que aprendeu, no negócio de corretagem de varejo, que o conforto da maioria das pessoas vem das posições de ações que não apresentam nenhuma possibilidade de ganho imediato, porque assim elas não precisam tomar uma decisão. Quando a ação está dentro do valor de mercado, elas se preocupam se deveriam vendê-la; se perderem muito dinheiro, sabem que precisam vendê-la; mas, se estiverem perdendo só um pouco de dinheiro, elas dormem bem. Essa não é uma boa situação. Eu acredito em ter um plano de investimentos de muito longo prazo. Acho que, se você se decidir a fazer um investimento – em qualquer ação ou título –, deve decidir quanto investir de seu comprometimento total e fazer o investimento em lotes do mesmo tamanho ao longo de um período de tempo. Se você estiver investindo 10 mil dólares, seria melhor investir em dez lotes de 1.000 dólares ou cinco lotes de 2.000 dólares, espalhados ao longo de um determinado período. Essa abordagem o protege de amplas flutuações.

Eu acredito que as tendências mais importantes em qualquer setor, incluindo meu principal setor de investimentos, o da tecnologia, tendem a durar uma década ou mais. Não há necessidade de se apressar. Na verdade, a pressa faz com que você cometa erros com muito mais freqüência do que obtém recompensas. Em 1987, quando o mercado quebrou, não havia muitas lições a ser aprendidas, já que isso afetou por igual quase todas as ações. No verão de 1990, tivemos outro período no qual as ações entraram em grande queda, mas ela não foi uniforme. Naquela época, comprei ações de três empresas quando estava administrando o fundo na T. Rowe Price. Aquelas ações me ensinaram lições muito importantes: aprendi a cruel lição de que é possível perder mais dinheiro em segundos do que se ganha em anos. Éramos um dos maiores acionistas da Oracle, que tinha aberto o capital em 1986 e vinha crescendo 100% ou mais em cada demonstração financeira. Eles estavam realmente fixando os valores. Era possível ver que o balanço patrimonial e o demonstrativo dos resultados estavam se deteriorando e eles ainda faziam os 100%, só por dourar a pílula. Mas eu não suportava a idéia de perder os últimos 10% com o provável lucro futuro. Em conseqüência, apesar de ter todas as informações, fiquei tempo demais no jogo.

O que aprendi ao ser um analista muito detalhista e, ao mesmo tempo, um gerente de carteira foi que os erros cometidos raramente são devidos à falta de informações corretas. Eu normalmente erro quando não atribuo o peso adequado à informação que mais importava. Hoje em dia, estamos em uma posição na qual várias fontes de informação, como a internet, funcionam para nivelar o campo para todos os jogadores, e raramente não se tem a informação necessária para tomar uma boa decisão de investimentos. O desafio é colocar a informação no contexto adequado. Se você descobrir que as ações estão se movendo por razões que não antecipou, deve se perguntar se está se empenhando o suficiente. Você está concorrendo com pessoas que trabalham exclusivamente com isso, para as quais o investimento não é somente uma carreira, mas uma paixão. Se estiver disposto a dedicar um tempo para suas pesquisas, você eliminará muitas, se não a maioria, das vantagens que os investidores profissionais tiveram no passado.

Alan B. Miller

Fundador, Universal Health Services, Inc.

Desenvolver uma empresa que representa um investimento sólido para os outros e levantar o capital tantas vezes me mostrou como ser um bom investidor. À medida que a minha empresa, a Universal Health Services, se desenvolvia, nossos investidores demonstravam sua confiança em nós. Aprendi que eles acompanhavam a empresa por minha causa e pela equipe que reuni, bem como pelo nosso histórico de sucesso. Investir em uma administração bem-sucedida, esta é a chave. Em todos os negócios, é isso que importa: a administração!

JOE MOGLIA
CEO, TD Ameritrade

A primeira vez em que pensei em investir foi quando estava com 9 anos de idade. Meus pais não tinham o ensino médio, e meu pai era proprietário de uma loja de frutas e vegetais, na qual eu trabalhava aos sábados durante as férias de verão. Sempre fui consciente de que nós sete – eu era o mais velho de cinco filhos – morávamos em um apartamento de dois quartos e um banheiro em Manhattan. Sempre tivemos o suficiente para comer e nunca senti que não tínhamos dinheiro, mas meus amigos viajavam nas férias e nós nunca fazíamos nada assim. Do ponto de vista financeiro, quando você é uma criança, encara o investimento em termos do que isso pode fazer por você.

Eu me lembro de perguntar ao meu pai por que nunca tirávamos férias. Ele me explicou que a loja demandava muito trabalho, muita responsabilidade, e que precisávamos trabalhar lá para ter a oportunidade de economizar. Eu perguntei: "Bem, então o que você faz quando economiza o dinheiro?". E foi quando ele me falou do mercado de ações. Portanto, minha introdução ao mundo dos investimentos não se deve ao fato de meu pai ser um grande investidor de Wall Street, mas sim ao fato de eu me perguntar por que nunca saíamos de férias.

Meu pai lia o caderno de finanças dos jornais, mas costumava escolher o *The Daily News*. Ao final de um turno de catorze horas trabalhando na loja, ele não estava disposto a se aprofundar em relatórios financeiros. Algumas vezes, um sujeito de Wall Street, a caminho de casa, passava pela loja para fazer compras e meu pai o ouvia falar sobre as ações que comprara naquele dia. Meu pai agia como se aquilo fosse, de fato, uma informação privilegiada e imediatamente comprava aquela ação.

Mas ele era um investidor extremamente cauteloso. Se a GM estivesse sendo negociada a 10, quando as ações subiam para 11 ou 12, ele estava fora! E ficava muito feliz em ganhar 100 ou 200 dólares sem ter de trabalhar. Algumas vezes as ações não iam tão bem e ele demorava demais para vender, como ocorreu com a Penn Central, quando ele comprou suas ações a 10, que caíram para 5 e depois 3 e, no final, a empresa acabou falindo. O que aprendi com o meu pai foi que faria sentido fazer a "lição de casa" e ter um motivo, além da opinião de uma outra pessoa, para tomar uma decisão. Incorpore uma estratégia em seus investimentos. Por exemplo, se você comprar as ações a um determinado preço, defina quando e por que deve vendê-las. Observando meu pai, aprendi a nunca me ligar emocionalmente a um investimento, porque é aí que começam as dificuldades em tomar as decisões certas. Quanto mais me envolvia nos negócios de Wall Street, mais me mantinha voltado aos fundamentos: não se envolver emocionalmente, ter uma estratégia disciplinada, ter uma meta clara e implementar um plano que você siga pela maior parte do tempo, mas ao qual não fique preso.

Enquanto eu avançava no escalão de gestão executiva na Merrill Lynch e começava a receber ações da empresa, meus mentores me diziam: "Se você acreditar no que estamos fazendo e for uma parte disso, não vai querer vender suas ações". Eu observava tantas outras pessoas que viravam as costas e vendiam suas ações. A parte mais significativa dos meus ativos, antes de ir para a Ameritrade, se formou pelo fato de eu nunca ter vendido uma só ação da Merrill Lynch até quatro anos atrás. Esse acúmulo ao longo do tempo foi um excelente negócio. Não sinta medo de colocar ovos demais em uma cesta na qual você tenha alguma influência, acredite, e para a qual esteja contribuindo.

Há alguns erros que as pessoas cometem várias vezes seguidas. Primeiro, elas ficam emocionalmente envolvidas com os seus investimentos. Segundo, apegam-se demais à base do preço pelo qual compraram um título específico: esse preço é irrelevante. Elas precisam se concentrar em perceber aonde isso vai levá-las. Terceiro, todos nós reconhecemos a importância de ter algum tipo de visão de nosso bem-estar financeiro para o futuro, a educação de nossos filhos, ou o que for importante para nós, mas poucas pessoas assumem a responsabilidade por isso. Infelizmente, as empresas de corretagem fazem de tudo para que os investimentos, em especial os de carteira, sejam incrivelmente sofisticados e complexos porque, assim, elas ganham uma quantidade imensa de dinheiro. Eles não têm interesse em simplificar esse processo, que não é tão difícil assim. A maioria das famílias gasta mais tempo pesquisando onde passar as próximas férias do que o faria se assumisse a responsabilidade e a pesquisa referentes aos investimentos.

Para ser um investidor bem-sucedido, você precisa entender e sentir qual é sua tolerância ao risco. Há muitas pessoas que sabem, racionalmente, que "Eu me permito perder até 10 mil dólares", mas emocionalmente talvez não sejam capazes de lidar com isso. À medida que o preço de uma ação sobe e desce, elas não conseguem dormir à noite. É importante desenvolver um perfil de risco que o ajude a entender onde e como você deve investir. Depois, é preciso entender o que é diversificação e quanto é importante diversificar. Esses conceitos não são nada complexos. Todos os investidores deveriam ser capazes de entendê-los e implementá-los.

MARILYN CARLSON NELSON
Presidente do conselho e CEO, Carlson Companies

Não existe um único conselho que englobe todas as situações na vida ou nos investimentos. Por isso, minha estratégia de investimentos é uma mistura de muitos bons conselhos que recebi ao longo dos anos.

A primeira máxima sueca "nunca reme além do que você possa voltar nadando" pode, a princípio, parecer um conselho estranho vindo de alguém que apostou tudo o que tinha – seria melhor dizer tudo o que *não* tinha – para fundar uma empresa perto do fim da Depressão. Foi em 1938; meu pai, Curt Carlson, que tinha acabado de sair da faculdade, fundou a Gold Bond Stamps com os 55 dólares que havia emprestado de seu senhorio. Mas, à medida que os anos se passavam e seu sucesso aumentava, testemunhei várias vezes a forma como ele se arriscava; porém, mesmo assim, sem colocar em risco o "núcleo" do futuro de nossa família. Ele sempre mantinha esse núcleo sobre o qual poderia reconstruir, mesmo se sua última aposta não se pagasse. Ele também acreditava que um empreendedor de sucesso é uma pessoa que reduz seus riscos ao máximo; então, mesmo as suas apostas não eram feitas no escuro.

Um segundo bom conselho sobre investimentos veio diretamente de meu pai e tinha relação com os investimentos na filantropia. Ele sempre acreditou que "a melhor filantropia é um emprego", voltando suas energias para os ramos de negócios, e não para o trabalho de base. Mas, quando praticava a filantropia, ele o fazia com grande entusiasmo e comprometimento – ele e um pequeno grupo de famílias de Minneapolis formaram o primeiro "Clube dos 5%" dos Estados Unidos, alocando 5% dos lucros antes dos impostos para causas comunitárias.

Quando meu pai começou a financiar programas e prédios em Minnesota, especialmente na University of Minnesota, onde ele se formou, ele tendia a colocar o nome Carlson nos presentes e nas estruturas. Um dia, quando eu era mais jovem, perguntei a ele se não seria uma atitude menos egoísta doar esses presentes de forma anônima, sem relacionar com o nome Carlson.

O conselho que ele me deu permaneceu comigo até hoje. "Marilyn", ele disse, "ao colocar o nome da nossa família em algo, eu não estou apenas prometendo o dinheiro – estou prometendo o apoio futuro de você e de seus herdeiros. A cada vez que passar por este prédio ou participar daquele programa, quero que você sinta a obrigação de se certificar de que aquilo é o melhor possível, porque leva o seu nome." Isso é que é um presente que está sempre sendo dado!

O terceiro bom conselho sobre investimentos que recebi não foi exatamente sobre investimentos, mas costumo usá-lo para esse propósito.

Durante a década de 1980, quando os Estados Unidos ainda estavam digerindo as mudanças sociais das décadas de 1960 e 1970, eu participei do conselho de administração da Northwestern Bell, uma das pequenas Bells que na época passavam pelas dificuldades da dissolução da AT&T. Um homem chamado Jack MacAllister liderava aquela divisão da Bell e, um dia, levou um problema ao conselho. Ele relatou que muitas das mulheres e minorias que progrediram para a gerência da Bell estavam sendo alocadas às várias operações no território de sete estados coberto pela Northwestern Bell, mas não estavam sendo aceitas nas várias organizações locais pelo fato de serem mulheres ou por questões raciais.

Jack propôs ao conselho: "Vamos retirar o apoio da Northwestern Bell para todas essas organizações porque não devemos apoiá-las enquanto elas rejeitam nossos gerentes". O conselho hesitou e o advertiu de que isso poderia significar uma briga com esses poderosos grupos locais em meio à já difícil situação da AT&T, em plena dissolução. O consenso do conselho foi que "é uma boa idéia, mas este não é o momento". A isso, Jack respondeu: "É mesmo? E quando será o bom momento?".

Como isso pode ser um conselho sobre investimentos?

As corporações e investidores de hoje detêm poder e influência jamais vistos. Esse novo poder traz novas responsabilidades. No entanto, muitos fazem com que o longo prazo seja inaceitável ao comprar ou vender com base apenas em retornos trimestrais.

Os investidores podem fazer a diferença, tornando o capital disponível aos que antes não tinham direitos civis, ao apoiar a expansão de oportunidades empreendedoras a mulheres, minorias e nações em desenvolvimento, ao investir em empresas socialmente responsáveis. Ao usar sua influência, os investidores devem exigir que a administração de suas empresas responda à questão colocada por Jack MacAllister mais de duas décadas atrás: se este não é o momento para uma mudança positiva, quando será?

EMÍLIO ODEBRECHT

Presidente do conselho de administração da Odebrecht S.A., empresa holding da Organização Odebrecht

Entrei na Odebrecht como estagiário, há mais de quarenta anos. Desde então, jamais trabalhei em outro lugar a não ser nessa empresa, sempre orientado por uma filosofia formulada por meu pai e que também serviu de referência para a gestão do nosso patrimônio familiar. Digo com orgulho que toda a minha vida foi voltada para a Odebrecht – e que não há nada fora da atividade empresarial exercida na organização que seja digno de nota. Em outras palavras, não tive a oportunidade de viver a grande descoberta de um investimento vitorioso como uma experiência individual ou como fruto de uma recomendação específica. Mas, nesses 63 anos de história da Organização Odebrecht, tenho bastante claro para mim dois momentos marcantes envolvendo os nossos dois principais negócios atuais – Engenharia e Construção e Química e Petroquímica –, que me mostraram a importância do trabalho coletivo na tomada de decisões sérias.

O primeiro momento ocorreu entre o fim dos anos 1960 e meados dos anos 1970, quando o Brasil viveu o chamado "milagre econômico". A Odebrecht, que então atuava apenas no setor de engenharia e construção, teve uma participação destacada em todo o ciclo. Mas logo antevimos que aquele crescimento não era sustentável e que em breve o Brasil não teria capacidade para manter o mesmo nível de investimentos. Como não abríamos mão de alcançar novos patamares de crescimento, nossa força motriz, decidimos que chegara o momento de dar início à nossa inserção no mercado internacional. Em 1979, começamos a construir a Hidrelétrica Charcani V, no Peru, e a trabalhar nas obras de desvio do Rio Maule para o projeto da usina hidrelétrica Colbún-Machicura, no Chile. Essas obras apontaram um caminho novo e desafiador para a Odebrecht. Em um momento em que as empresas brasileiras olhavam basicamente para o mercado interno, investimos, antecipadamente, na capacitação necessária para enfrentar os desafios da globalização, fenômeno então pouco conhecido, que impactaria o planeta alguns anos depois.

O segundo momento aconteceu em 2000. Naquele ano, a Odebrecht havia decidido vender seus ativos no Pólo Petroquímico de Camaçari, na Bahia, adquiridos a partir de 1979, ano em que a organização optara por diversificar seus negócios e passara a investir em química e petroquímica. A decisão de desimobilização daqueles ativos se baseara em questões conjunturais e nas limitações impostas ao nosso crescimento pelo emaranhado societário que caracterizava o setor. A operação de venda envolvia ativos de outras empresas, inclusive o controle da Copene, central de matérias-primas do Pólo. Após duas tentativas de venda frustradas, nossa equipe envolvida no processo percebeu a ocorrência de fatos novos, avaliou as tendências e construiu um novo cenário. Em 24 horas, passamos de vendedores dos ativos que detínhamos a compradores dos ativos totais que estavam sendo negociados. Não foi uma decisão fácil. A cautela aconselharia suspender os investimentos por um período. Com a aquisição do controle acionário da Copene, em consórcio com o Grupo Mariani, nosso projeto de criação de uma empresa petroquímica brasileira de classe mundial – a Braskem – foi posto em prática.

Tomadas de forma coletiva, por pessoas que souberam usar as forças das circunstâncias, essas duas decisões me ensinaram que as conquistas empresariais do mundo moderno são e serão, cada vez mais, o reflexo do trabalho de equipes competentes, criativas, integradas, motivadas e alinhadas cultural e estrategicamente.

ROBERT A. OLSTEIN

Presidente do conselho, CEO e diretor de investimentos,
Olstein & Associates

As onze melhores dicas de investimentos:

1. As tentativas de prever a movimentação do mercado de ações para obter lucros constituem um processo de fracasso no longo prazo.

O risco do mercado pode ser de alguma forma controlado, posicionando sua carteira entre títulos, ações de baixo risco e renda fixa em vez de diversificar sua carteira de acordo com barreiras de investimentos artificiais como alta ou baixa capitalização, crescimento, valor e assim por diante.

2. Previsões econômicas precisas são amplamente desnecessárias.

As taxas de juros e fluxo de caixa futuro (em oposição aos lucros declarados) são as únicas variáveis econômicas importantes a ser levadas em consideração ao estimar o valor de uma ação.

3. As notícias atuais são de pouca utilidade ao administrar seu dinheiro.

O mercado se volta para o futuro e o dinheiro é ganho quando os investidores identificam desvios entre percepções de curto prazo e a realidade de longo prazo.

4. As três características mais importantes para se levar em consideração ao selecionar uma ação são preço, preço e preço.

Pagar o preço errado por uma boa empresa é o mesmo que comprar uma empresa ruim.

5. Administradores de investimentos que cometem menos erros costumam apresentar os melhores desempenhos de longo prazo. Assim, considere as desvantagens ao comprar um título antes de considerar o provável lucro futuro.

6. A melhor maneira de se proteger do risco financeiro é comprar empresas que gerem um fluxo de caixa em excesso (mais dinheiro entrando do que saindo, depois das necessidades de capital circulante líquido e das despesas de capital) com um desconto em relação ao valor intrínseco (definido como o valor presente do fluxo de caixa em excesso futuro).

As empresas com fluxo de caixa excedente podem elevar os dividendos, comprar as ações de volta e fazer aquisições quando outras não podem. Não precisam adotar estratégias de curto prazo que não estejam de acordo com o interesse de longo prazo, quando ocorrem problemas, e também são boas candidatas à aquisição.

7. A virtude mais importante de um investidor em valor é a paciência.

Períodos de percepção distorcida ou negatividade, que resultam em preços com descontos, podem levar muito tempo para ser identificados. Entretanto, se a percepção distorcida for corrigida, as recompensas podem produzir resultados favoráveis ao investimento.

8. O desejo de estar certo *o tempo todo* é um obstáculo para estar certo *ao longo do tempo*.

Esperar o surgimento de um catalisador antes de comprar uma ação subvalorizada normalmente resultará na compra de uma ação plenamente valorizada. O momento oportuno do investimento em valor é pagar o preço certo.

9. Estabelecer barreiras artificiais ao investimento pode limitar o desempenho.

A busca pelo valor não deve ser limitada. O valor pode ocorrer em grandes empresas, pequenas empresas, empresas cíclicas, empresas em crescimento, empresas de tecnologia e assim por diante.

10. Um investidor em valor precisa ter uma rigorosa disciplina de venda que chegue a conclusões com base em avaliações de fluxo de caixa em excesso, e não na estimativa do momento certo ou na psicologia da multidão.

As implicações dos impostos nas vendas das ações devem ter uma importância secundária na decisão, ou você pode nunca ter impostos a pagar.

11. Até os melhores administradores passam por períodos de desempenho abaixo da média. Escolha administradores que tenham uma disciplina de investimentos com a qual você se identifique e não se envolva em desempenho de curto prazo ou mensurações de desempenho relativo. O desempenho absoluto no longo prazo (de três a cinco anos ou mais) é a mais importante medida do sucesso dos investimentos.

SUZE ORMAN

Autora de *best-sellers* e especialista em finanças pessoais

Quando eu tinha cerca de 27 anos, minha família estava muito bem financeiramente. Eu nunca percebi isso muito bem, porque, naquela época, meu pai tinha uma pequena lanchonete com uma área de 35 metros quadrados. Eu costumava trabalhar lá. Lembro-me das pessoas formando uma fila à porta e de meu pai sempre ocupado. Mas, mesmo assim, estávamos sempre sem dinheiro e eu não entendia por quê. Um dia, fui com os amigos a uma lanchonete no centro de Chicago. Os sanduíches tinham metade do tamanho dos que meu pai fazia e eram pelo menos duas ou três vezes mais caros. Eu pensei: "Uau, eu tenho a chave para o futuro da família".

Quando cheguei em casa, disse: "Pai, eu sei como podemos ficar ricos". Ele se sentou e disse: "Tudo bem, pode me contar". Eu disse: "Você só precisa duplicar ou triplicar o preço de seus sanduíches". Ele me olhou e disse: "Suze, eu prefiro ter 50% de algo a 100% de nada". A isso eu repliquei: "Hum, tudo bem". Mas eu tinha entendido o que ele quis me dizer.

Em 1998 e 1999, fiz uma compra no setor de tecnologia com a qual ganhei uma fortuna. Eu observei a Safeguard Scientific quadruplicar desde quando a comprei. Algumas ações subiram 1.000% em relação a quando as adquiri. Em 2000, os mercados começaram a cair aos poucos. Todo mundo estava dizendo: "Não se preocupe, o mercado se recupera, há muito mais dinheiro para se tirar daqui". Mas eu ouvia a voz do meu pai me dizendo "é melhor ter 50% de algo do que 100% de nada". E vendi tudo.

Quando você vê televisão todos os dias, pode notar que a maioria das pessoas diz: "O mercado vai subir, é uma queda temporária, não se preocupe com isso". Se os ganhos foram extraordinários e o grande golpe de 2001 ainda não ocorreu, a idéia de não ganhar o máximo possível é quase pior do que perder dinheiro. Quando você compra algo que está valorizando e o vende para descobrir que ele continua valorizando mais 50, 100, 200%, a sensação é terrível, porque você fica o tempo todo calculando o que *poderia ter ganhado*. Mas talvez tudo não passasse de um sonho. Isso não faz parte da vida. É por esse motivo que é tão difícil vender. Quando uma ação cai, você não quer vendê-la devido ao medo e à esperança – você "tem medo" de que ela volte a subir e "espera" que ela volte a subir.

A frase "É melhor ter 50% de algo do que 100% de nada" sempre surge na minha mente e eu me esforço para escutá-la. Eu vendi 100%, não fiquei com nada. Mantive meus ganhos, peguei tudo o que tinha e coloquei no mercado de títulos municipais enquanto continuava a observar o mercado caindo cada vez mais. Eu vi a Safeguard Scientific rolar abismo abaixo até chegar a 1 dólar por ação. Vi cada ação que eu tinha vendido se esvair pelo ralo e vi fortunas virarem pó. Vi a alegria se transformando em tristeza. Vi planos de aposentadoria voando pela janela e se transformando em mais vinte anos de trabalho. Vi casas sendo perdidas. Essas pessoas acabaram com 100% de nada.

O maior erro que as pessoas cometem ao investir é se tornar gananciosas. Você sempre poderá recomprar alguma coisa, mas nunca poderá vender quando não sobrar mais nada para ser vendido. Você sempre poderá comprar de volta se estiver errado, mas não poderá vender o que já virou pó. Acabou. Comprar é fácil. Vender é a coisa mais difícil de fazer. Medo, vergonha e raiva são três obstáculos internos entre você e o dinheiro. As pessoas que são dominadas pelas emoções tomam decisões impensadas no que se refere ao seu dinheiro.

A maioria do pessoal de finanças, com o qual as pessoas se aconselham, não passa de vendedores. Não são eles que escolhem as ações, que tomam as decisões sobre os fundos mútuos – eles só estão lá para vender a pesquisa ou o conselho dos consultores e analistas financeiros que as corretoras empregaram. Eles são tão dominados pelas emoções e precisam tanto do dinheiro quanto você. Eles precisam concorrer com pessoas da área deles, da mesma forma que você concorre com as da sua área. Eles precisam de incentivos para fazer coisas que não querem fazer, o que o setor de corretagem faz muito bem. O problema é que o investidor individual está lidando com um intermediário conhecido como "consultor financeiro" ou "corretor", que é dominado pelas emoções e não é mais capaz do que você de tomar essas decisões.

As verdadeiras mentes financeiras são as que administram os fundos mútuos, os analistas que não têm nenhum contato com as pessoas que estão investindo o dinheiro. Isso permite que o analista seja muito racional em seu processo de pensamento, o que o vendedor não consegue. Depois que uma compra é feita, é o vendedor emotivo que determina se vendemos ou mantemos os investimentos, e, algumas vezes, essas pessoas não têm mais acesso ao analista. Os analistas estão lidando com isso em um nível técnico, mas não precisam lidar no nível emocional com todos os clientes que compraram o fundo mútuo.

Então, por que não fazer isso por conta própria, livrar-se do intermediário e não trabalhar com comissões, já que você vai acabar tomando as mesmas decisões de qualquer jeito? Por que pagar 5% para comprar um fundo mútuo quando você pode comprar um fundo mútuo por conta própria, sem ter de pagar taxas, e, provavelmente, acabará com melhores resultados, já que não vai precisar começar com 5% comprometidos?

Confie em você mesmo mais do que confia nos outros. Se entrar no escritório de um consultor financeiro e algo não lhe parecer certo, não se convença a continuar lá. A longo prazo, se quiser o melhor consultor financeiro do mundo, você deve se olhar no espelho. Ninguém vai cuidar do seu dinheiro melhor do que você. Esses analistas prestam contas às empresas deles e trabalham sob grande pressão. Uma pessoa precisa ser muito, muito forte para não sucumbir à pressão.

Comece comprando um fundo de índice, familiarize-se com investimentos programados e pratique a diversificação. Veja como se sente entrando por conta própria na água. Nós complicamos muito, mas, na verdade, é muito simples.

JIM ROGERS

Investidor internacional e *adventure capitalist*

Perder dinheiro é a melhor forma de ver do que você é feito. Permanecer firme quando perde dinheiro o ensina muito sobre você mesmo e sobre o mercado.

É melhor perder tudo o que se tem quando se trata de apenas 5.000 dólares, e não de 5 milhões de dólares. Perder dinheiro o ensina sobre você mesmo – você pode voltar? Você voltará? Você tem motivação suficiente para voltar? Você venderá sua moto, se precisar? Se o primeiro investimento que você fizer for um sucesso e os quatro ou cinco seguintes também, você pensará que é fácil, se descuidará, não perceberá como pode ser difícil e terá uma reviravolta quando não estiver preparado.

Se você não souber o que está fazendo, não invista. Se vai investir, faça-o em áreas sobre as quais saiba muito. Eu lhe garanto que um jornal ou uma revista não vai lhe ensinar como ficar rico. Você precisará trabalhar duro. Qualquer pessoa que esteja lendo este livro sabe muito sobre algo, seja sobre moda, seja sobre carros, já é alguma coisa. É nisso que você deve se concentrar – nos assuntos sobre os quais você já sabe muito, assuntos que já lhe interessam em sua vida cotidiana –, e, então, dê um passo a mais e comece a ler os relatórios anuais dessas empresas. Concentre-se no que lhe traz paixão e descubra formas de ganhar dinheiro com as coisas que você já conhece bastante; assim, não precisará se basear em revistas. Concentre-se na sua paixão e siga-a.

Sempre que faço um investimento, fico aterrorizado – eu me preocupo com tudo o tempo todo. Não sei o que vai surgir do nada e me golpear. Quem sabe o que vai acontecer? Se você não se preocupa, se não tem medo, então não é um bom investidor e não está investindo bem. Você está se descuidando e se entregando à preguiça.

WILBUR ROSS

Bilionário, internacionalmente conhecido
como "Artista da Virada"

Quando fui para Wall Street, o tesoureiro de Yale me deu alguns conselhos excelentes. Ele tinha sido o conselheiro da minha fraternidade. Passei a conhecê-lo muito bem quando fui eleito presidente da fraternidade e ele se transformou numa espécie de mentor para mim. Ele tinha algumas frases que pareciam muito casuais, mas, na verdade, tinham uma lógica incrível por trás.

Uma das coisas que ele dizia é que, se algo em uma oportunidade de investimentos parecer bom demais para ser verdade, provavelmente será bom demais para ser verdade, deve haver algo muito errado com esse investimento. A segunda coisa que ele me contou foi algo que apliquei ao longo de minha carreira. Ele disse que o risco não é proporcional à recompensa. Pense a respeito. Para haver uma verdadeira proporcionalidade, deveria haver uma espécie de divindade no céu dizendo: "Nossa, você arriscou muito nesse investimento, por isso vai ganhar uma grande recompensa". Mas essa divindade dos investimentos não existe. Quem inventou o ditado de que a recompensa é proporcional ao risco era, com certeza, algum sujeito de Wall Street que promovia um negócio muito arriscado. Há uma relação entre o risco e a recompensa, mas isso não é tão matemático quanto diz o ditado. Geralmente você é pago pelo que as pessoas *percebem* como risco, o que pode ou não corresponder ao risco *real*.

Ao longo da minha carreira, tenho escolhido os caminhos menos populares. As pessoas achavam que o setor de metalurgia não tinha como render nenhum lucro nos Estados Unidos. Mas, da forma como fazemos, nós o tornamos lucrativo. Antes de mais nada, costumamos estudar um setor durante um ano ou mais antes de investir nele. Passamos muito tempo tentando entender o que pode dar errado e quais são as armadilhas potenciais. Percebemos que as empresas, em um determinado setor, dão errado mais ou menos ao mesmo tempo. Em um determinado momento, vários varejistas abriram falência e depois se recuperaram. Em outro momento, na verdade vários, foram as companhias aéreas que faliram ao mesmo tempo. Em outro, ainda, foram as empresas de metalurgia e, em outro, as empresas de carvão. Os setores podem ir mal, e o nosso trabalho é entender se há algum que valha a pena resgatar. Mas esse processo requer muita paciência e pesquisa.

O fato é que mesmo os investidores profissionais têm problemas em controlar as próprias emoções. Dentro de cada profissional existe uma pessoa comum. Eles podem ter bons instintos, podem ter feito suas pesquisas e estar prestes a fazer um bom investimento, mas, nesse ponto, eles vacilam. A crença dominante e a tendência de ir com a multidão suplantam a fé em suas próprias crenças. Isso é um erro.

Você precisa evitar, como o diabo evita a cruz, o que for mais popular no momento. O maior perigo para o pequeno investidor é ser levado pelo modismo do mês. Não seja atraído pelas bolhas do mercado. Se as pessoas fossem um pouco mais obstinadas nas decisões que tomam, teriam mais chances de sucesso nos investimentos. Por exemplo, procure uma empresa conhecida e sólida que, por algum motivo, esteja em um mau ano. Você terá mais oportunidades se comprar algo assim e mantiver as ações do que se escolher as ações que estiveram na moda nesse mês. Escolher a ação da última moda, na verdade, não é mais do que entrar no jogo da "batata quente". Por outro lado, se você comprar uma empresa sólida, que não esteja com um bom desempenho, há grandes chances de a economia ou o setor se recuperarem e você ter lucros com o investimento. Para a maioria dos investidores, o desafio ao adotar esse tipo de filosofia de investimentos é a falta de disposição para desenvolver a disciplina que isso requer. Eles não vão pesquisar as oportunidades que não estejam no noticiário das oito ou nos jornais. Faça um esforço para acrescentar um pouco de obstinação e teimosia à sua carteira. Normalmente, ir contra a maré é o que permitirá que você encontre sucesso nos investimentos.

TOM RYAN
CEO, CVS Corporation

O melhor conselho que já recebi foi de meu pai. Ele disse: "A única forma de acompanhar o mercado de ações é investir em uma boa equipe de gestão, e a única forma de ganhar dinheiro em corridas de cavalos é seguir os cavalos com uma vassoura e uma pá".

Roberto Egydio Setubal

Presidente do Banco Itaú

Nós vivemos no Brasil, um ambiente econômico bastante volátil há várias décadas e de juros muito elevados. Nessas condições de risco-retorno, o melhor conselho que recebi foi o de aplicar e reservar em renda fixa. Dado o risco-retorno, o juro era alto, e por isso mesmo dava retorno elevado, superior às demais alternativas. Os analistas de investimentos analisavam, analisavam e viam que era difícil bater o CDI. Portanto, essa diretriz foi por longo tempo muito importante para mim. Mas não se tratou de um conselho vindo de alguém em particular. Comecei a participar mais da discussão sobre investimentos no banco com meus 30 e poucos anos, quando assumi a direção-geral. Foi nessa época que passei a ter contato assíduo com os profissionais que analisavam nossas ações e aprendi muito com eles.

Hoje, porém, as condições do país estão mudando, portanto aquela orientação já não é tão interessante daqui para a frente. Os juros estão baixando e devem continuar assim. O Brasil vai entrar numa normalização financeira, equiparar-se aos mercados internacionais, e teremos mais alternativas de investimentos.

Agora, quando você ouve um conselho que na hora se mostra válido, sempre volta a se lembrar dele diante de experiências futuras e a avaliar se continua a ser um bom guia. Nesse sentido, aquela visão sobre investimentos em renda fixa continua a ser correta em seu fundamento, porque se baseava exclusivamente no risco-retorno. Uma convicção minha é que todo investimento deve ser analisado com frieza, racionalmente, em termos técnicos. Não gosto de fazer apostas confiando no instinto, na intuição de que alguma coisa vai ou não acontecer. Para mim, investimento tem de dar retorno.

Antigamente, eu acreditava em intuição, mas ao longo do tempo diria que fui ficando mais ortodoxo. É claro, a intuição é importante para se estabelecer a hipótese, mas ela tem de ser muito bem embasada pelos números para se justificar. O mesmo acontece quando se vai fazer investimentos da empresa para a própria empresa, como adquirir uma outra, por exemplo. É preciso estabelecer muito claramente as vantagens daquela aquisição, as sinergias que ela vai trazer dos dois lados, para ter certeza do retorno.

Por isso, sempre desconfio quando alguém diz que determinado investimento deve ser feito "porque é estratégico", acho um argumento típico de situações em que não se consegue justificar com clareza uma transação. Se há uma frase que me caracteriza e que repito sempre que vamos tomar uma decisão de investimentos no banco, é: "Isso cria valor para o acionista?".

Manoel Horacio Francisco da Silva

Presidente do Banco Fator

Desde criança me pautei por um ensinamento básico, que devo à minha mãe: "Jamais gaste tudo o que você ganha". É esse princípio, muito simples, que considero fundamental para um dia a pessoa vir a ter alguma coisa em que investir, porque o mais importante na vida financeira não é quanto você ganha, e sim quanto gasta. O raciocínio é o seguinte: se alguém é empregado, ganha o mesmo todo mês. Já o que gasta, dependendo da forma como gasta, pode variar ao infinito. Então, não importa qual seja o salário, é o que se gasta que determina o futuro. Quando sacamos na frente, no cheque especial ou no cartão de crédito, antes de produzir o ganho, estamos comprometendo o nosso futuro. A vida se transforma num eterno endividamento, e quem tem dívida não pode investir.

Foi assim, poupando, que cresci tanto na vida pessoal quanto na carreira na área financeira. Mas houve também muito esforço, muita transpiração. Tive de abrir mão de muitas satisfações imediatas para obter maiores satisfações mais à frente. Jamais usei cheque especial, nem fiz crediário. A única coisa que comprei financiada em minha vida foi a casa, que é um investimento. E até hoje minha mulher, no fim do mês, me faz um relatório de nossas despesas – sei exatamente onde gasto meu dinheiro.

Ter controle é um princípio que você adota na vida e se acostuma com ele. Sou imigrante, minha família veio de Portugal para São

Paulo quando eu tinha 2 anos. Minha mãe era empregada diarista, meu pai foi jardineiro a vida toda. Quer dizer, eles não me legaram nada a não ser uma educação maravilhosa e exatamente esse princípio de economia. Hoje, considero que minha mãe foi uma financista, pois me ensinou que para investir a pessoa tem de gerar alguma sobra.

Éramos três filhos e todos começaram a trabalhar muito cedo – eu, aos 9 anos, já fazia entregas para armazéns e aos 14 tinha carteira assinada no Banco Moreira Salles. Em casa, havia um caixa único. Todos os salários eram entregues à minha mãe, que devolvia a cada filho só o dinheiro para a condução e para um pequeno lanche quando estava trabalhando. O resto, ela administrava. Isso até completarmos 21 anos, idade em que nos considerava maduros para aprender a cuidar das próprias finanças.

Foi esse caixa único que permitiu a todos nós ir para a faculdade. Sou um exemplo de mobilidade social porque me formei em 1969 e entrei no mercado de trabalho no período "rico" da economia brasileira, nos anos 1970, quando a tecnocracia começou a florescer. Todo mundo que tinha curso superior conseguia bons empregos. Se minha mãe não tivesse juntado o pouco que ganhávamos, nossa família não teria prosperado. Hoje, esse princípio foi quase esquecido – marido e mulher mantêm ganhos e gastos separados. É um erro, porque dinheiro, para gerar mais dinheiro, precisa ter volume.

Já formado, fiz quase toda a minha carreira na Ericsson. No começo, achava que era homem de vendas e trabalhava na área. Depois, passei à administração de filiais e nesse cargo comecei a adotar uma série de medidas de economia. Graças a elas, o diretor financeiro me notou e me pediu para implementar tudo aquilo no resto da companhia. Cresci profissionalmente, mais tarde presidi a Telemar, hoje dirijo o Banco Fator, um banco múltiplo privado que vende exatamente soluções para a multiplicação do dinheiro. Então, para mim o princípio da riqueza é ter controle e economizar. Foi esse o maior ensinamento sobre criação de valor que recebi na vida.

SY STERNBERG

Presidente do conselho e CEO,
New York Life Insurance Company

Tenha a coragem de ser o primeiro a embarcar. Seja você um comprador, seja um vendedor, não queira estar em meio à multidão. São os que chegam cedo ao mercado, antes da multidão, que realizam os maiores lucros. Ser o primeiro a entrar no jogo proporciona melhores retornos. Isso se aplica aos investimentos institucionais, em que ser o primeiro lote de uma oferta proporciona melhores retornos. É o que motiva o setor de capital de risco, no qual os riscos assumidos em investir em novos negócios são compensados pelos prêmios de entrar no jogo com um vencedor.

Eu descobri que a regra do "primeiro a entrar" se aplica também às decisões financeiras pessoais. Quando a minha família e eu estávamos procurando uma nova casa, nossa corretora de imóveis me sugeriu um empreendimento imobiliário que havia acabado de chegar ao mercado: sete lotes gigantes com preços igualmente gigantes. Eu disse que o custo era alto demais e ela retrucou: "Faça uma oferta, de qualquer maneira". Mais tarde percebi que eles precisavam de um "pioneiro" – um comprador de alta exposição que fosse o primeiro a entrar para atrair os clientes potenciais mais cautelosos. Depois que eles concordaram em aceitar 35% a menos que os compradores subseqüentes pagariam, eu me convenci: é bom ser o pioneiro!

Ser o primeiro requer a confiança para agir rapidamente. Meu filho adolescente me acompanhou em uma visita a uma concessionária para comprar um carro, alguns anos atrás. Sou fã de conversíveis de duas portas, mas não gosto dos tetos de lona. Assim, quando vi o novo Mercedes SL500 Roadster 2003 – com um teto de metal retrátil –, foi fácil tomar a decisão. Perguntei o preço ao vendedor. "Estamos pedindo 10 mil dólares além do preço de tabela." "Tudo bem", eu disse. "Quando posso vir retirar?" Meu filho ficou espantado. (Ele sabe que eu não sou do tipo que paga a mais.) Duas semanas mais tarde, quando voltamos para pegar o carro, ele ficou sabendo por que eu havia aceitado tão rápido: a concessionária tinha somente três SL500 no Estado, e vendeu todos. Depois de nós, o segundo comprador pagou um ágio de 15 mil dólares. O terceiro pagou 20 mil. E o quarto precisará esperar pelo menos dezoito meses para ter o carro entregue!

Se um negócio não estiver em sua zona de conforto pessoal, nem pense a respeito. Mas, se estiver de acordo com as suas exigências, não pense duas vezes. Você terá grandes chances de tomar uma decisão melhor agora do que mais tarde.

ABRAM SZAJMAN
Presidente do conselho de administração do Grupo VR, da Federação do Comércio de São Paulo, do Sesc e do Senac

Eu tinha 20 e poucos anos quando comecei a me interessar pelo mercado de ações. A única coisa que sabia do assunto era o que havia de mais simples: devia-se comprar na baixa e vender na alta. Não posso chamar essa regra básica exatamente de um conselho, pois aprendi com a vida. Meu maior preparo no assunto vinha da leitura de jornais, pois gostava muito de acompanhar a área econômica.

Trago também no sangue uma herança judaica acumulada desde os tempos das caravelas e das caravanas, que me garantiram princípios de economia, de lealdade e solidariedade. Além de ter estudado na Escola de Comércio da Fundação Álvares Penteado, da qual sou membro do Conselho Curador até hoje. Mas, em matéria de investimentos, aquela regra fundamental foi o grande ensinamento que recebi, tomei ao pé da letra e sempre me valeu.

Meus pais eram imigrantes poloneses muito pobres, vieram para São Paulo em 1933. Os dois trabalhavam como costureiros em confecções do Bom Retiro, o bairro onde nasci e cresci. Ainda morava lá quando comecei a comprar ações, nos anos 1960. Nosso mercado era então bem restrito, e as ações, muito baratas.

Naquele tempo, quem comprava recebia cautelas, e eu depositava religiosamente as minhas no cofre do Banco Comercial do Estado de São Paulo, na rua 15 de Novembro. De vez em quando, ia lá para ver se não tinha sumido alguma no meio de tanta papelada.

Minha carteira era pequena, só ações de companhias de grande porte, com muita liquidez, as chamadas *blue chips*. Quando, por volta de 1969, resolvi comprar uma pequena indústria têxtil, elas representavam todo o meu patrimônio. Vendi no momento perfeito, porque logo depois houve uma grande baixa na bolsa – eu tinha vendido na alta.

Ainda na década de 1970, depois de me desfazer daquela empresa, fiquei sócio de uma corretora de valores e continuei comprando. Quando já havia formado uma companhia pioneira de vales-refeição, a VR, em 1977, o Brasil entrou num processo inflacionário acelerado e os preços das ações voltaram a cair muito. Compravam-se dez pelo preço de um cafezinho. O que fiz foi deixar de tomar o cafezinho...

Examinei cuidadosamente as empresas oferecidas, analisei quais eram as melhores, com bom patrimônio, chances de crescer e cujos papéis estavam muito baixos. Escolhi duas: a Casa Anglo Brasileira – que era o Mappin – e o Banco Real. Mantinha também alguns papéis tradicionais, como Petrobras, mas me habituei a comprar essas duas. E fui comprando, durante anos, sempre atento aos momentos de baixa.

Foi assim que, na segunda metade dos anos 1990, quando o Mappin e o Banco Real foram vendidos, eu tinha nas duas empresas posições iguais ou até mais importantes do que as dos próprios acionistas controladores: pouco mais de 20% do total das ações de cada uma – no Mappin, ações ordinárias e, no Real, metade ordinárias, metade preferenciais.

A história é conhecida. Na Casa Anglo, o comprador foi Ricardo Mansur (o empresário que acabou quebrando o Mappin, a Mesbla e o Banco Crefisul) e, afinal, recebi só a metade do que me era devido. Mas por minhas ações do Real o Banco ABN pagou o preço justo.

Hoje em dia, com a participação de grandes fundos de investimentos, o mercado acionário está muito mais evoluído, exigindo um tratamento mais profissional. Mas a bolsa ainda pode oferecer ótimas oportunidades para quem souber farejar, com persistência, ações baratas de boas empresas com possibilidades de crescimento. Em algumas, às vezes o problema é só um estilo de gestão antigo, mas assim que isso for corrigido vão proporcionar grandes lucros. Principalmente agora, quando o risco-país vem diminuindo e o Brasil logo deve chegar a *investment grade*.

DONALD J. TRUMP

Empreendedor do mercado imobiliário, autor de *best-sellers* e produtor de televisão

Meu pai me disse que qualquer coisa que pareça boa demais para ser verdade provavelmente será mesmo boa demais para ser verdade. Aquele foi um conselho sábio e um velho ditado que está sempre por perto, provavelmente porque merece estar por perto. Para mim tem sido um bom conselho quando se trata de negócios, investimentos e, na verdade, para tudo. Meu pai era cauteloso e consciencioso e, no que se refere aos investimentos e a quanto risco assumir, ele perguntava: "Quanto dinheiro você estaria disposto a perder?", o que é uma maneira simples de abordar qualquer tipo de investimento. Esses dois conselhos funcionam muito bem juntos e criam uma zona de segurança quando se trata de investimentos.

MÁRCIO UTSCH

Presidente da Alpargatas

Umas das lições mais caras que aprendi ao longo da minha carreira é que o principal fator de sucesso de qualquer empresa são as pessoas. Uma empresa pode ter muito capital, uma boa estrutura, mas não será bem-sucedida se não tiver gente boa em sua equipe. Nunca se viu nenhum exemplo assim.

O mundo está se transformando. Atualmente, há uma preocupação crescente com temas sobre os quais não se pensava no passado (o aquecimento global, a qualidade de vida, a importância das relações e da família etc.). Essa nova postura acaba fazendo com que se dê mais importância às relações pessoais também no ambiente de trabalho, muito mais que à capacitação técnica.

A formação técnica é importante, mas não basta. Não acredito em uma empresa onde as pessoas trabalhem como um relógio. Equivaleria a dizer que a companhia trabalha como uma máquina, desprovida de qualquer sensibilidade. Mas ninguém sonha em ser tratado como peça de um relógio – seja no trabalho, seja na escola, seja pelo poder público. As pessoas querem ser tratadas como gente. Ainda mais no ambiente corporativo, onde passam mais tempo de seu dia do que com sua família.

A Alpargatas vem se transformando, nos últimos anos, em uma empresa global. Quando montamos uma operação num país como os Estados Unidos, que tem os maiores conglomerados empresariais do mundo, temos muito a aprender. Mas temos também muito a ensinar. A criatividade, a versatilidade e o talento com que nós, brasileiros, lidamos com os desafios e criamos soluções originais surpreendem os estrangeiros. E essa é uma característica própria do brasileiro, talvez única, que nos dá um enorme diferencial num mercado tão competitivo – e muitas vezes tão sistemático e calculista quanto o norte-americano. Uma empresa é reconhecida pela qualidade de seus produtos e pelas suas marcas admiradas.

Mas uma empresa é formada, também, por pessoas. Pessoas que têm emoções, alegrias, tristezas, idéias. Essas pessoas devem saber trabalhar em equipe. Eu não acredito em equipe que não tenha um líder, da mesma forma que nenhum líder é bem-sucedido se não tiver uma boa equipe. Uma empresa de sucesso tem de ter uma boa liderança em cada uma de suas áreas de negócio. E esses líderes têm de saber montar bons times. Os talentos dos profissionais devem ser complementares – um talento em marketing, um talento em finanças, um talento em operações, enfim, um time que reúna as competências necessárias para o desenvolvimento dos negócios.

Se o time for muito bom, e se o seu maior talento for formar e gerir equipes, os resultados virão quase que naturalmente. É importante que o principal executivo tenha claramente definidos, e compartilhe com suas equipes, o norteamento estratégico, a visão de futuro da companhia. Dessa forma, o trabalho flui melhor, pois o próprio time pode trazer novas idéias e sugestões.

De um ponto de vista mais pragmático, é preciso ter funções muito bem definidas, conhecer exatamente as competências necessárias e as entregas exigidas de cada cargo. Por outro lado, o executivo tem de ter habilidade em achar as pessoas mais capacitadas para cada função específica – e identificar se as características desses gestores se encaixam com o que se espera de cada função.

Eu dedico a maior parte do meu tempo na empresa às pessoas – treinando, fazendo *coaching*, contratando, ouvindo, planejando. Procuro dedicar muito do meu tempo – cerca de 40% – focando isso.

Outros 40% são dedicados ao futuro da companhia, ao futuro dos negócios. E os 20% restantes são gastos nas coisas do dia-a-dia. Meu desafio é acabar com esses 20% e dedicar mais tempo às pessoas.

Em suma, não acredito em empresas de sucesso sem um bom time, sem um time motivado. Por isso as pessoas devem ser o principal ponto de atenção de um executivo.

ROBERT WEISSENSTEIN
Diretor de investimentos, Credit Suisse Private Banking USA

Quando entrei nesse negócio, meu pai, que era fotógrafo, achava que eu estava entrando no setor da jogatina. Quando vi sua reação, determinei-me a levar alguma disciplina ao processo. Na minha visão, aquele era o negócio mais direto possível. Meu trabalho era encontrar boas oportunidades e ganhar algum dinheiro com elas.

Investir não é um exercício acadêmico. Você pode aprender o que quiser com livros, mas não há o que substitua alguns anos de vivência nos mercados para de fato aprender a se virar. Entender como administrar seu dinheiro é um conhecimento que requer muito foco e muito tempo. Os investimentos se tornaram uma área cada vez mais complexa em termos de compreensão do que se passa, não apenas nos mercados, mas também no entendimento de como ganhar exposição a diferentes mercados e investimentos. Ao contratar um consultor, ou planejador financeiro, você não se livra da responsabilidade de entender o que eles estão lhe dizendo e aconselhando a fazer. Você nunca deve se distanciar muito nem aceitar conselhos de uma única pessoa sem questionamento.

Ao longo dos anos, tenho ouvido, com muita freqüência, a seguinte afirmação: "Desta vez será diferente". Entretanto, a realidade é que raramente a situação é *tão* diferente. As pessoas costumam dizer isso para justificar extremos do mercado. Durante a bolha da tecnologia, achava-se que a única forma de ganhar dinheiro era investindo em tecnologia, e todos pensaram que o mundo inteiro estivesse caminhando para uma nova direção. Eu me incomodava ao ver os mercados seguindo uma visão tão extrema. Apesar de os investidores serem muito orientados a manter sua disciplina e diversificação, eles cada vez mais se concentravam nos investimentos em tecnologia.

A realidade era que, apesar de estarmos fazendo grandes progressos do ponto de vista tecnológico, isso não significava que todas as coisas do passado poderiam ser jogadas pela janela. Esse conceito ficou claro para mim no dia em que o Nasdaq chegou a 5 mil. Os repórteres na televisão previam furiosamente quando ele atingiria 6 mil. Na época, eu estava em Hong Kong e alguém me disse: "É claro que é ótimo que o mundo esteja mudando e que os avanços tecnológicos sejam enormes, mas o que dizer de empresas como a Colgate? O que vamos fazer, começar a usar cremes dentais virtuais?". Algumas coisas de fato permanecerão sendo necessárias. Quando você ouve que *"Desta vez será diferente"*, é necessário ser muito cauteloso. Isso não significa que você não deva se manter aberto a novas idéias. As coisas evoluem. As maneiras pelas quais você pode investir no mercado também evoluem, de forma que você deve se atualizar sempre. Não é possível dizer que tudo o que funcionou antes sempre funcionará.

Os investidores norte-americanos tendem a se concentrar em mercados domésticos por serem grandes e bem capitalizados, com muita liquidez, mas a realidade é que, se você observar a capitalização do mercado global, os Estados Unidos constituem só metade do que está em jogo. Se não olhar para fora do seu mercado doméstico, você estará dizendo: "Eu não estou interessado em metade das oportunidades disponíveis". Você não pode excluir um conjunto inteiro de oportunidades assim. Isso não significa que as oportunidades sempre serão excelentes, mas você precisa pelo menos analisá-las.

Diversificação, um termo muito usado para descrever uma estratégia de investimentos bem-sucedida, significa uma carteira que não se concentra em um determinado valor mobiliário. As pessoas cedem à tentação de ganhar na sorte grande porque ouvem histórias sobre grandes sucessos nos investimentos. Mas, quanto mais pessoas tentam ganhar na sorte grande, menos chances elas têm de ganhar qualquer coisa. Para começar, pense na idéia de que você precisa se diversificar globalmente. As barreiras caíram, as oportunidades estão lá e os mercados estão mais bem capitalizados. Em segundo lugar, hoje em dia, existem várias classes diferentes de ativos, e uma carteira deve incluir ações e renda fixa. Há vários novos instrumentos que lhe permitem obter diferentes tipos de exposição. Analise-os. Fundos hedge, exposição de moeda estrangeira e notas estruturadas, que lhe dão um nível incorporado de proteção contra desvantagens com diferentes níveis de potencial lucro futuro, merecem ser considerados para uma carteira bem diversificada.

A pergunta clássica que as pessoas fazem aos investidores é: "Qual é a sua tolerância ao risco?". Em outras palavras, a pergunta é: "Quanto dinheiro você está disposto a perder?". Ninguém quer perder, por isso a pergunta correta é: "Qual é o seu nível aceitável de volatilidade?". "Que tipo de desestabilidade em sua carteira você consegue suportar?" A chave é certificar-se de conseguir suportar a volatilidade para deixar sua carteira fazer o que deve ser feito. Se você não conhecer seu orçamento de volatilidade, não terá uma experiência de investimentos bem-sucedida. Você começará tendo medo de fazer o que deve ser feito. Tire o mercado de amanhã da equação, distancie-se e entenda seu nível de volatilidade, permita que sua carteira faça o que deve ser feito e, assim, você será mais capaz de navegar pelos ambientes e situações mais complexos.

MILES WHITE
Presidente do conselho e CEO, Abbott Laboratories

O colunista esportivo Blackie Sherrod escreveu: "Se você apostar em um cavalo, estará apostando na sorte. Se você apostar que tem três curingas na mão, estará se entretendo. Se você apostar que o algodão subirá três pontos, você estará em um negócio. Dá para ver a diferença?".

As pessoas em geral se esquecem de que escolher ações é muito similar à jogatina. É importante reconhecer isso e entender que a sua estratégia precisa ser em função de aumentar suas chances – ao relacionar suas decisões com o tipo certo de informação. Eu sempre analiso três elementos para aumentar minhas chances nos investimentos: modelo de negócios, potencial de lucro e administração.

Primeiro, uma empresa necessita de um modelo de negócios lógico. Eu preciso ser capaz de entender a premissa básica de uma empresa de forma rápida: qual é o produto, como ele é produzido, quem são os clientes e quais são as peças entre eles?

Depois, deve haver um caminho coerente para gerar não somente a receita, mas também os lucros. Uma empresa pode ter um conceito impressionante – um que gere receita –, mas, se não produzir lucros, provavelmente não será um bom investimento. Isso deveria ser óbvio, mas muitos investidores parecem ignorar esse aspecto da realidade dos negócios e entram no jogo de olhos fechados.

Em terceiro lugar, e o mais importante, a equipe de gestão precisa ter o necessário para vencer. Isso significa que eles devem estar dispostos a assumir riscos, mas não a produzi-los. Eles precisam ter uma visão de longo prazo de seu negócio. (Eu não invisto em nenhuma equipe de gestão que aparente estar mais preocupada com os lucros trimestrais do que com onde sua empresa estará daqui a cinco anos.) Eles também precisam ter uma compreensão fundamental de que o sucesso no mercado é uma forma de ganhar. O mundo dos negócios é competitivo, e é necessário um plano que vise a ganhar o jogo.

Deve ser relativamente fácil conseguir as informações necessárias para tomar uma decisão de investimentos consciente, já que as empresas estão, em certo sentido, competindo pelos nossos investimentos. Se eu não conseguir obter informações suficientes nesses critérios, passo para a próxima oportunidade.

Talvez seja pelo fato de eu ter crescido em Las Vegas que nunca tenha deixado de pensar que escolher uma ação – ou qualquer outro veículo de investimentos – é como fazer uma aposta. Com as informações certas, entretanto, e cumprindo a tarefa de casa para obtê-las, você pode fazer uma aposta mais bem informada e aumentar suas chances de um retorno positivo.

Tim Wolf
CFO Global, Molson Coors Brewing Company

Ponto 1: Concentre-se nos investimentos pelo menos uma vez por trimestre. Eu costumo ver pessoas com muito dinheiro que são simplesmente ocupadas demais – ocupadas demais ganhando dinheiro e dedicando muito pouco tempo para preservar, proteger ou aumentar o que já têm. A maioria das pessoas não sabe qual é seu perfil de risco, não se pergunta com o suficiente rigor: "Eu sou o tipo de investidor que adora se sentir desconfortável ou prefiro dormir à noite?"

Acredito que muitos investidores falam como se estivessem mais do que dispostos a assumir riscos, mas, quando estão falando a respeito deles, não internalizam o fato de estarem somente buscando uma recompensa por esse risco, não olham o risco em si. É difícil para as pessoas entender isso, a não ser que elas tenham se queimado feio. Teste constantemente sua própria percepção e a de sua família no que se refere a qual relacionamento entre risco e recompensa faz mais sentido. Essa é uma análise muito difícil de ser feita por conta própria. Peça ajuda a seu companheiro, amigos ou consultor de investimentos. É necessário testar muito essa relação, especialmente se você estiver em um novo emprego, tiver uma sorte inesperada ou estiver pensando em se aposentar. Algumas vezes, vemos pessoas inteligentes com alto nível de instrução ganhando muito dinheiro, mas perdendo tudo. Como isso acontece? Elas investem todo o dinheiro em uma coisa só.

Ponto 2: Em qualquer idade, seja aos 20, seja aos 50 anos, analise com cuidado a forma como alocará seus ativos. Sempre tenha uma parte de seus investimentos mantida livre de riscos e, à medida que o tempo passa, reavalie essa porcentagem de investimentos livres de riscos.

Ponto 3: Diversifique. Nunca se entregue à ganância. A maioria das pessoas diz isso, mas poucas colocam em prática. A idéia de comprar ações, determinar uma meta de preço e se ater a essa meta é uma noção idiota, porque isso presume ter todo o conhecimento e *insight* necessários para determinar uma meta de preço. Em vez disso, pense em um retorno para o período que você está analisando. Se você tiver um retorno de 3 por cento em um trimestre e essa porcentagem se mantiver, isso representa mais de 12 por cento ao ano. A maioria das pessoas pegaria o dinheiro e sairia correndo.

Pense no nível de risco, especialmente dos investimentos que você fizer em ações. Poupe alguma coisa. Para mim, a definição de poupar é um investimento com um perfil de risco muito baixo. Poupe um pouco a cada trimestre. Não espere para fazer isso quando você tiver 40, 50 ou 60 anos, ou quando ganhar um aumento. Na minha opinião, é algo como higiene básica, como escovar os dentes e fazer exercícios físicos – há uma sabedoria em aplicar uma disciplina de investimento que, acredito, a maioria das pessoas não usa.

O que você ensina a seus filhos é um bom conselho para investidores de qualquer idade. Em casa, nossa fórmula com nossos filhos é 1/3, 1/3, 1/3: você pode gastar 1/3, deve poupar 1/3 e dar 1/3. Nem sempre essas porcentagens funcionam, mas representam uma boa fórmula para se seguir.

STEPHEN P. ZELDES

Professor de economia e finanças, Columbia Business School

Meu avô, Nathaniel E. Stein, era corretor na cidade de Nova York. Em 1966, quando eu tinha 9 anos de idade, ele teve uma longa conversa comigo e me comprou minhas primeiras ações. Compramos algumas ações da IBM, Xerox e Tootsie Roll. Eu acompanhava os preços com cuidado. Algumas semanas depois de nossa compra, uma das ações tinha caído, e eu, rapidamente, lhe enviei um cartão-postal do lago onde estávamos passando as férias, em New Hampshire.

"Prezado senhor Stein", eu escrevi no cartão. "Profundamente perturbado com a Xerox. Solicito aconselhamento. Já perdi 15 dólares. Seu cliente, Stephen Paul Zeldes."

Quando voltei das férias, fiquei agradavelmente surpreso ao ver que tinha recebido uma carta do meu avô, de cinco parágrafos escritos à mão. (Essa resposta e meu cartão-postal original foram encontrados, muitos anos mais tarde, e hoje estão emoldurados e pendurados na parede do meu escritório. Segue um trecho da carta do meu avô.)

"Prezado senhor Zeldes
Em referência ao seu sucinto e lacônico cartão-postal, senti muito ao ser informado de sua 'perturbação' quanto à perda em suas ações da Xerox. Contudo, considerando que esse é seu primeiro

empreendimento nas complexidades das finanças, o senhor deve ter em mente que as ações não sobem o tempo todo. A compra da Xerox foi feita graças ao seu desejo de ter um investimento que 'cresceria'. A palavra crescer significa que a cada três meses sua empresa venderá mais produtos e obterá lucros mais altos do que nos três meses anteriores. Observe que eu comprei para o senhor 25 ações da Tootsie Roll a 135/8. Isso porque acredito que o produto terá uma demanda crescente com o passar do tempo. Quanto à Xerox, apesar de as ações terem caído, recomendo não se perturbar, mas ser audacioso – e comprar mais. A razão de manter uma ação é a crença no futuro da empresa. Se o senhor não acreditar nisso, deve vender as ações. Com os meus mais sinceros cumprimentos – e uma esperança de ser digno de sua confiança no futuro,
    Nathaniel E. Stein."

Apesar de a Xerox não ter apresentado lucros bons a longo termo (eu deveria ter vendido as ações quando escrevi o cartão), a sabedoria e o conselho de meu avô me renderam grandes lucros. O que mais aprendi com ele nesse setor foi uma confiança no funcionamento do mercado de ações e a importância de investir nele. Na década de 1960, quando dei meus primeiros e vacilantes passos no mundo dos investimentos, só 25% dos lares norte-americanos tinham algum tipo de investimento no mercado de ações, direta ou indiretamente, por meio de fundos mútuos. Eu tive a sorte de aprender cedo sobre os méritos do investimento em ações e de fazer parte desses 25%. Meu avô me ensinou que investir no mercado de ações era arriscado ("as ações não sobem o tempo todo"), mas, a longo prazo, investir em uma carteira de ações bem diversificada tem grandes chances de dar retorno. Sem dúvida, devo parte de meu interesse e curiosidade posteriores, em relação aos mercados financeiros e à economia, ao tempo que passei conversando com meu avô.

    A porcentagem de lares norte-americanos envolvidos, de alguma forma, no mercado de ações cresceu substancialmente nas décadas de 1980 e 1990, até um nível atual de pouco mais de 50%. Muito disso foi devido às mudanças radicais no cenário das políticas de aposentadoria ao longo dos últimos 25 anos: testemunhamos uma queda perceptível nos planos de aposentadoria com benefícios definidos e um grande aumento de planos de contribuição definida. Como resultado dessa mudança, cada vez mais pessoas tiveram de assumir a responsabilidade financeira por sua própria aposentadoria. Mais do que nunca, é importante que as pessoas tenham um sólido entendimento dos fundamentos financeiros.

Relaciono abaixo alguns passos básicos que acredito que as pessoas deveriam seguir para aumentar suas chances de sucesso nos investimentos:

1. Comece a poupar e a investir quando ainda for jovem. Um número muito alto de pessoas não participa dos planos de previdência oferecidos pelas empresas. Não cometa esse erro.

2. Invista uma quantia significativa em sua saúde geral no mercado de ações. Compreenda que esse mercado é arriscado, mas para a maioria das pessoas o retorno agregado esperado vale a pena.

3. A diversificação é fundamental. Uma carteira bem diversificada é essencial para o sucesso de longo prazo dos investimentos. O sucesso pode ser obtido com ações de um grande número de empresas, em setores diversos, ou com fundos mútuos que acompanhem índices amplos. Um erro comum é ter muitas ações da própria empresa. Ao fazer isso, sua carteira geral fica menos diversificada e, como você já assume o risco de trabalhar na empresa, ficará vulnerável em muitas frentes se a empresa não tiver um bom desempenho. O seu salário pode ser reduzido ou seu emprego desaparecer, ao mesmo tempo em que sua posição financeira com as ações da empresa é reduzida – e isso é financeiramente perigoso. A Enron chegou a esse ponto em um nível extremo, e isso merece ser lembrado. Se você não for um executivo de alto escalão, que é forçado a ter ações da empresa, sugiro evitar isso.

4. Não tema os mercados internacionais. Investir neles alavancará uma carteira bem diversificada. Como eles não são perfeitamente correlacionados com os mercados nacionais, ter uma grande opção de ações de outros países permitirá que você, a longo prazo, tenha retornos médios mais altos com um risco mais baixo.

5. É muito difícil determinar o momento certo no mercado e escolher ações individuais. Algumas pessoas tiveram sucesso fazendo isso, mas muito mais pessoas fracassaram, especialmente ao tentar reduzir comissões e outros custos de negociação. O investidor casual deve evitar essa prática e comprar fundos de índice com baixas despesas e taxas.

6. Para terminar, instrua-se financeiramente. Leia os artigos sobre finanças pessoais e macroeconomia básica publicados pelo *The Wall Street Journal* e pelo *The New York Times*. Quando estudantes de MBA concluem minha disciplina de macroeconomia, na Columbia Business School, espero que eles saiam com a capacidade de ler e entender esses artigos. Nunca subestime a importância da instrução.

IVAN ZURITA
Presidente da Nestlé Brasil

Falar sobre investimento é tocar a essência do ser humano. Não me refiro ao investimento financeiro especificamente, mas a uma postura de vida. Investir é uma atitude que envolve acreditar, decidir, agir e ter a satisfação pessoal de colher bons frutos.

Não é muito diferente sob o aspecto financeiro, onde a mesma dinâmica se verifica: saber investir é, antes de tudo, acumular conhecimento, desenvolver e respeitar a intuição. É também ter determinação e decidir corajosamente, saber negociar e aplicar energia para que cada decisão represente um passo em nossa evolução pessoal e como cidadãos.

Tudo isso parte da crença que temos em nós mesmos e nos valores que adotamos. Teremos, assim, a determinação e a agressividade necessárias para enfrentar os riscos que toda nova oportunidade envolve – e, certamente, quem se prepara para isso, atrairá essas oportunidades.

Investir dessa forma na vida é algo que se aprende com o tempo e pelos bons exemplos. Vem à minha mente a figura do meu avô paterno, Ignácio Zurita Junior, imigrante espanhol que, pelo trabalho e esforço de uma existência de apenas 51 anos, conseguiu construir um império empresarial em nossa cidade, Araras, no interior paulista.

A partir de uma loja de secos e molhados, seu primeiro negócio, expandiu a sua atuação para diversos segmentos: Agência Ford regional, Banco Comercial de Araras, Indústria de Mandioca Zurita Ltda. (que exportava amido, especialmente para a Espanha), hotéis, indústrias de móveis e tecelagem, agência de telégrafo, loja de ferragens, fazendas e, antes ainda que existisse o conceito de centros de compras, surpreendeu ao montar uma rede de postos de gasolina com leiteria e cinema. Estabeleceu uma divisão agrícola para cuidar das fazendas que adquiriu e ainda criou o "Cinema Para Todos" em Araras. Essa preocupação social transparece também por ter sido o fundador da Associação Comercial, Industrial e Agrícola de Araras, que até hoje continua em plena atividade.

Autodidata, aprendeu vários idiomas e tornou-se também político influente, ocupando a prefeitura de Araras por duas vezes. Ignácio Zurita Junior foi um homem que soube conciliar as oportunidades de seu tempo e avançar além dele, progredindo pessoalmente e auxiliando outros a seguirem o mesmo caminho.

Exemplos sempre valem mais do que palavras. Principalmente, quando associados a qualidades humanas, como caráter e postura firme perante as dificuldades. Cultivá-los é investir na vida.

SOBRE A AUTORA

L IZ CLAMAN é ganhadora do Emmy Award, jornalista e âncora internacionalmente reconhecida de um noticiário da televisão. Ao longo de sua carreira, ela cobriu eventos locais, nacionais e mundiais para a CBS, a ABC e afiliadas da NBC em Los Angeles; Columbus e Cleveland, Ohio; e Boston. Nos últimos oito anos, ela foi âncora da CNBC, apresentando os programas de negócios na TV a cabo *Wake up call, Morning call, Market wrap* e *Cover to cover*. Formada pela UC Berkeley e pela Université Paris-Sorbonne, Claman, uma corredora ambiciosa, correu a maratona de Nova York em novembro de 2005. Ela mora em Edgewater, New Jersey, com seu marido e dois filhos.

O melhor conselho sobre investimentos que eu já recebi
foi impresso em São Paulo/SP pela Yangraf Gráfica e Editora
Ltda., para a Larousse do Brasil, em novembro de 2007.